Tête de melon

Mary Downing Hahn

Tête de melon

Traduit de l'américain par Elisabeth Motsch

Médium poche
11, rue de Sèvres, Paris 6e

© 1992, l'école des loisirs, Paris, pour l'édition en langue française
© 1987, Mary Downing Hahn
Titre original: « Tallahassee Higgins »
(Houghton Mifflin Company, New York)
Composition: Sereg, Paris (Bembo 12/17)
Loi numéro 49 956 du 16 juillet 1949 sur les publications
destinées à la jeunesse: mars 1992
Dépôt légal: janvier 1993
Imprimé en France par la Société Nouvelle Firmin-Didot
à Mesnil-sur-l'Estrée (22520)

Pour mes filles, Kate et Beth Hahn,
avec ma tendresse,
mon affection et mes remerciements

Chapitre 1

C'était le 9 février 1985, une date, je le savais, dont je me souviendrais toujours comme étant celle du plus horrible jour de ma vie. Maman et moi, nous étions au bar de l'aéroport de Miami, et mangions des hamburgers en attendant mon avion. Je partais pour le Maryland, où je devais rester chez un oncle et une tante que je n'avais jamais vus, et elle, elle partait pour la Californie, avec son ami Bob.

Liz avait différentes raisons de ne pas m'emmener. La plus évidente était qu'une moto ne peut pas porter trois personnes. Même si l'une d'entre elles est une fille de douze ans très mince. J'avais demandé à Bob de trouver un petit sidecar pour moi, mais il avait dit qu'il ne pouvait pas se permettre de gaspiller de l'argent pour un truc comme ça.

Pour vous dire la vérité, la moto n'était qu'une partie du problème. Ni Liz ni Bob n'avaient la moindre idée de ce qu'ils allaient faire en arrivant en

Californie - ils n'avaient pas de travail là-bas, pas d'endroit où vivre, aucun plan sérieux. Liz voulait faire du cinéma, et Bob affirmait qu'il avait des amis qui connaissaient des gens dans ce milieu-là. Qui connaissaient-ils vraiment, Bob ne le précisa jamais, ce qui me tracassa beaucoup plus que Liz, qui n'est pas, parmi les personnes que je connais, celle qui a le plus les pieds sur terre.

«Mais oui, tu seras beaucoup mieux à Hyattsdale avec Dan et Thelma», disait Liz en attrapant le sel. «Dès que Bob et moi nous serons installés, tu vois, quand nous aurons tous les deux un travail, un endroit pour vivre et tout ce qu'il faut, je t'enverrai de l'argent pour acheter un billet d'avion.»

«Quand est-ce que tu me l'enverras?» Je mordais mon hamburger si fort que le ketchup en dégoulinait. «Une semaine, deux semaines, un mois, un an?»

Liz secoua la longue chevelure dorée qui lui tombait sur les épaules et dodelina de la tête. «Oh, pas un an, Tallahassee», dit-elle. «Peut-être un mois ou deux. Je ne sais pas vraiment, chérie.»

Elle alluma une cigarette et envoya la fumée vers le haut pour que je ne la reçoive pas au visage. «De toute façon, nous avons besoin de nous séparer un peu, tu ne penses pas ? Parce que, enfin, ça va faire douze ans que nous sommes ensemble, toi et moi. »

Je m'efforçai d'avaler une bouchée de hamburger tout sec. « Je n'ai pas besoin d'être séparée de toi », dis-je entre mes dents. « Tu es ma mère et je t'aime. »

« Mais je t'aime aussi, Clochette. » Liz riait et ébouriffait mes cheveux. « Sacrée Poil de Carotte, l'amour n'est pas en cause ici. »

M'écartant de sa main, je me tournai vers la fenêtre et regardai un panneau d'affichage sur la voie de départ. Je n'aimais pas quand Liz transformait les choses sérieuses en plaisanteries. « Ne m'appelle pas Poil de Carotte. Ou Clochette », dis-je.

« Oh, Talley, arrête de bouder. » Liz essaya de me caresser la main mais je la retirai vite. « Ce sera bien pour toi d'avoir un peu de stabilité. Toi et moi nous avons vécu si longtemps comme des bohémiennes, chérie ; Dan et Thelma peuvent t'offrir un vrai foyer pour un temps. »

« J'aime bien la façon dont toi et moi nous vivons. » C'était vrai. Nous n'avions jamais beaucoup d'argent mais cela m'était égal.

« Peut-être toi, mais pas moi. » Liz sirotait son soda sans sucre. « J'en ai marre de passer d'un boulot de serveuse à un autre et de vivre dans des logements miteux, sans jamais être sûre de pouvoir payer le loyer, inquiète pour mes pourboires, inquiète de te savoir toute seule le soir.»

Elle se pencha par-dessus la table, me forçant à la regarder. «Tu ne comprends pas, chérie? C'est pour moi une chance de pouvoir sortir de cette ornière, pendant que je suis encore jeune, avant que je ne perde ma beauté. Bob est certain que ses amis peuvent m'aider à faire du cinéma. Ne me rends pas la tâche trop difficile, Tallahassee!»

«Si je pouvais seulement venir avec toi, Liz.» Malgré mes gros efforts pour essayer de ne pas pleurnicher, je sentais monter le ton de ma voix.

«Tu aimeras Hyattsdale, je t'assure». Liz me souriait. «Imagine, chérie», continua-t-elle, «tu dormiras dans ma vieille chambre, tu iras dans ma vieille école, et tu vas adorer Dan. C'est le meilleur grand frère du monde.»

Je broyai entre mes dents les morceaux de glace de mon soda, pour ne pas dire ce que je pensais. Si l'oncle Dan était si merveilleux, pourquoi Liz s'était-elle enfuie à l'âge de dix-sept ans? Et pourquoi n'était-elle jamais retournée le voir?

«Il a été comme un père pour moi après la mort de nos parents», disait Liz avec douceur. «Je n'étais pas tellement plus vieille que toi, Tallahassee, et Dan avait vingt-quatre ou vingt-cinq ans. Il habitait encore à la maison et travaillait à la compagnie des téléphones, faisant des économies pour se marier avec Thelma. » Elle buvait son soda sans sucre à petites gorgées. « Ce bon vieux Dan, solide comme un roc. »

J'avais entendu tout cela des millions de fois, bien sûr, mais cela me rendait toujours triste de penser que mes grands-parents avaient été tués dans un accident d'avion avant même ma naissance. J'aurais aimé les connaître. Pour autant que je le sache, je n'avais pas d'autres grands-parents. Ni de père, d'ailleurs, puisque Liz ne m'avait jamais dit quoi que ce soit à son sujet. Même pas son nom.

« Dan est très impatient de te connaître, Tallahassee. » Liz me caressait la main et souriait, me ramenant à la réalité.

« Et la tante Thelma ? » J'écrasai mon gobelet vide et attendis que Liz me réponde. Je savais parfaitement ce qu'elle pensait de la tante Thelma. « Je parie qu'elle est impatiente aussi », ajoutai-je, essayant d'être aussi sarcastique que possible.

« Je suis sûre que Thelma sera très gentille avec toi », dit Liz avec raideur.

« Mais elle ne m'aimera pas. »

Liz poussa un soupir et mordilla sa cigarette. «Thelma et moi, on ne s'entendait pas bien, tu le sais, mais elle ne m'a pas vue depuis plus de douze ans. Et tu n'es qu'une enfant. Elle n'a aucune raison de t'en vouloir.»

Silencieuse, je regardais Liz allumer une autre cigarette. Elle expira la fumée et je me penchai vers elle. «Je croyais que tu devais arrêter de fumer», dis-je.

«Laisse-moi tranquille, Tallahassee.» Liz fronçait les sourcils en me regardant à travers un nuage de fumée. «Je suis un peu tendue en ce moment, mais dès que je serai partie pour la Californie, j'arrêterai, c'est promis.»

«Tu vas attraper des rides si tu continues à fumer comme ça», lui dis-je. «Sans parler du cancer du poumon et de l'emphysème. La façon dont tu tousses le matin, je parie que tes poumons sont tout noirs.» Je la regardais fixement. «Et tu as déjà de toutes petites lignes sur la lèvre supérieure.»

«Tu vas arrêter de me dire des choses comme ça?» Liz me lançait des regards furieux. «Ce n'est pas vrai, de toute façon. Pour les rides.» Elle se toucha la lèvre nerveusement.

Je m'enfonçai un peu plus dans mon siège et avalai par petits bouts les restes de mon hamburger. Sans moi pour prendre soin d'elle, je me demandai vraiment comment Liz allait faire pour survivre. Cela pouvait sembler bizarre, étant donné qu'elle était l'adulte et moi l'enfant, mais elle n'était vraiment pas raisonnable. Je l'avais aidée à gérer son budget et à préparer les repas pendant des années, et je n'étais pas sûre que Bob allait faire vraiment aussi bien. La plupart du temps il avait l'air d'un somnambule.

«Est-ce que tu es sûre d'avoir assez d'argent pour acheter de l'essence et à manger?» demandai-je à Liz. «C'est loin, la Californie, il te faudra traverser un désert pour aller là-bas.»

«Tallahassee, est-ce que tu vas me laisser tranquille?» Liz éteignit sa cigarette en l'écrasant par le bout. «Je suis adulte. Je sais prendre soin de moi.»

«Mais qu'est-ce qui va se passer si tu es déprimée? Qui va te remonter le moral?» demandai-je. «Je suis sûre que Bob ne sait pas marcher sur les mains comme moi ni faire des blagues démentes.»

Liz regarda sa montre. «On ferait mieux d'y aller, Talley», dit-elle. «Ton avion décolle dans vingt minutes environ.»

«Est-ce que Bob peut danser comme Fred Astaire avec Ginger Rogers, comme on le fait toutes les deux? Est-ce qu'il peut agiter au-dessus de ta tête la

Baguette Magique de la Bonne Sorcière Glinda?»
J'étais au bord des larmes, suivant Liz à travers le dé-
dale des petites tables bondées de voyageurs.

«Est-ce que tu vas te taire?» Liz me lançait des regards courroucés. «Tu me gênes avec tes questions,Tallahassee Higgins!»

«Mais je me fais tellement de souci pour toi!»
J'essayai de prendre sa main, elle la retira vivement, le
visage tout rouge.

«Voilà Bob qui vient, pour ton départ», dit Liz.
«Ne te comporte pas devant lui comme un bébé.»

M'essuyant les yeux avec le dos de la main, je
chargeai mon sac à dos sur mes épaules et regardai
Bob déambuler le long du couloir dans notre direction, un gros sac en plastique à la main. Il portait son
habituel jean délavé et un nouveau T-shirt, avec dessus: «Californie Me Voici».

Bob serra Liz très fort dans ses bras, puis me sourit. «Salut la môme», dit-il. «Ça, c'est pour toi.»

A ma grande surprise, il retira une boîte du sac en
plastique et me la tendit. Elle était enveloppée dans
du joli papier, avec un gros nœud rose. «Ne l'ouvre
pas maintenant», dit-il. «Garde-la pour quand tu
seras dans l'avion.»

«Qu'est-ce que c'est?»

« Une surprise. » Il souriait si largement que j'avais l'impression que son visage allait se séparer en deux. « Ta maman m'a aidé à la trouver. »

Pendant que Liz et lui recommençaient à s'embrasser, je secouai la boîte. Quelque chose à l'intérieur glissa doucement d'avant en arrière et d'arrière en avant. Cela faisait un bruit d'animal en peluche, me semblait-il, et je songeai au bel ours blanc qu'on avait vu, Liz et moi, dans l'avenue Seaway. Liz avait déclaré que, à moins d'être fou, personne ne donnerait jamais quatre-vingts dollars pour un ours en peluche, mais il était là, j'en étais sûre, un cadeau d'adieu exceptionnel de Bob et elle.

Je me tournai vers Liz pour la remercier, mais elle était en train de rire de ce que Bob venait juste de dire. Vu l'attention qu'on me portait, j'aurais pu tout aussi bien être au Maryland. Attrapant la main de Liz, je la serrai aussi fort que possible.

« Est-ce que tu te fiches complètement de ne pas me voir pendant longtemps ? » criai-je. « Tu seras toute seule avec lui pendant tout le voyage pour la Californie. Est-ce que tu ne peux pas au moins me regarder ? » Des larmes me sortaient des yeux, mais je me fichais complètement que tous les curieux du monde me voient en train de pleurer.

19

«Oh, Talley, pour l'amour du Ciel, chérie!» Liz dégagea sa main et me serra dans ses bras. «Ne fais pas ton petit bébé idiot!»

«Je te manquerai, pas vrai?»

«Je t'enverrai une carte postale tous les jours, je te le promets, ma douce.» Son parfum m'enfermait dans un nuage odorant et ses cheveux retombaient tout autour de moi, comme un rideau nous protégeant des gens pressés qui passaient. «C'est juste pour un petit moment, chérie, c'est tout.» Liz pleurait aussi maintenant, mais elle reprit contenance en entendant le haut-parleur annoncer mon vol.

«Venez, toutes les deux», dit Bob. «Il ne s'agit pas de rater l'avion.»

Malgré mes efforts pour retarder les choses, faisant d'abord tomber mon sac à dos, puis mon cadeau, Liz et Bob m'entraînèrent vivement vers la file de personnes qui attendaient leur embarquement pour Washington.

«Sois gentille, chérie», chuchotait Liz à mon oreille, «et embrasse Dan pour moi. Je viendrai bientôt vous voir. Je te le promets, Talley, je te le promets.»

Puis elle recula de quelques pas et je suivis un gros homme jusqu'à l'avion. Bien qu'ayant un siège près d'un hublot, j'étais du côté de la piste et non de l'aéroport, je ne pouvais donc pas faire de signes à Liz. Fermant les yeux, je serrai dans mes doigts le paquet que Bob m'avait donné et tentai de ne pas pleurer quand l'avion roula sur la piste, prit de la vitesse, et rugit en direction du ciel.

CHAPITRE 2

Lorsque je regardai à nouveau par le hublot, les maisons et les routes formaient comme un village dans un circuit électrique en miniature, loin tout en bas. Je n'avais jamais pris l'avion auparavant, et je me sentis très adulte lorsque l'hôtesse arrêta son petit chariot près de mon siège pour me demander ce que je voulais boire. Je choisis une bière sans alcool et la bus à toutes petites gorgées tout en regardant les nuages flottants passer sous moi. Liz était-elle quelque part tout en bas occupée à regarder l'avion disparaître? Ou était-elle déjà en route pour la Californie chevauchant la moto du voleur de mère, contente d'être débarrassée de moi? Juste au moment où j'allais pleurer, je me souvins du cadeau que Bob m'avait donné. Fouillant dans mon sac, j'en retirai la boîte, puis enlevai le ruban et le papier. A l'intérieur, au lieu d'un magnifique ours blanc, je vis une affreuse poupée qui me souriait. Elle avait un visage rond et des cheveux orange, un peu comme les miens, et deux gros bras tendus vers moi.

«Oh! elle est vraiment adorable!» L'une des hôtesses se penchait au-dessus de l'homme assis à côté de moi pour mieux regarder l'affreuse créature. «Elle a même son certificat de baptême, n'est-ce pas?»

Je regardai le petit papier inséré dans la boîte. Il disait que le nom de la poupée était Mélanie. Tête de melon aurait mieux convenu.

«Ma petite nièce meurt d'envie d'en avoir une comme ça. Vous avez vraiment de la chance!» s'exclamait l'hôtesse tout attendrie.

Je regardai Tête de melon en fronçant les sourcils. «J'ai douze ans», dis-je. «Je n'ai pas joué à la poupée depuis des années.»

L'homme à côté de moi jeta un coup d'œil à la boîte ouverte. «Ma femme a toute une collection de ces petits monstres. Laids comme c'est pas permis, hein?» Il me fit un clin d'œil et replongea le nez dans le *Wall Street Journal*.

«Comment pouvez-vous dire une chose pareille!» L'hôtesse avait un petit rire séducteur qui me rappelait celui de Liz, mais l'homme se contenta de hausser les épaules sans cesser de lire et elle repartit dans l'allée à la recherche de gens plus amusants.

Je regardai Tête de melon en fronçant les sourcils. Son visage était tout déformé par son sourire d'abrutie, elle avait vraiment l'air d'une idiote. Pourquoi n'était-elle pas plutôt un magnifique ours blanc? Baissant les paupières, afin de ne pas la voir, je restai les yeux fermés, comme si j'étais endormie, jusqu'à Washington.

Quand je fus descendue de l'avion, je cherchai l'oncle Dan. Selon Liz, il devait avoir la quarantaine, être grand et probablement un peu gros. «Ses cheveux étaient bruns la dernière fois que je l'ai vu», avait-elle ajouté, «mais ils sont sans doute gris maintenant. Peut-être même qu'il est chauve.»

La moitié au moins des hommes que je voyais correspondaient à la description de Liz, mais, à mon sens, j'étais la seule fille rousse de tout l'aéroport. Dans l'espoir qu'il serait facile de me trouver, je restai au beau milieu de l'espace prévu pour les rencontres, regardant tous les autres passagers se jeter dans les bras de leurs amis ou de leurs parents.

Au moment où je commençais à croire que la tante Thelma avait dû dire à l'oncle Dan de ne pas venir, je vis un homme de haute taille s'avancer vers moi. Il souriait, sans assurance, et ses yeux étaient gris-vert comme ceux de Liz.

«Est-ce que tu es bien Tallahassee Higgins?» Je fis un signe de tête. Il sourit, du même sourire que Liz et ajouta: «Je suis ton oncle Dan.»

J'aurais voulu me jeter dans ses bras pour l'embrasser, mais j'avais peur. Il ne me connaissait pas vraiment, et moi non plus je ne le connaissais pas. Peut-être n'aimait-il pas les embrassades – comment le savoir? C'est pourquoi je me contentai de rester là, comme une grande godiche, trop énervée même pour sourire.

«Je suis désolé d'être en retard», dit-il. «J'ai été pris dans un embouteillage sur le périphérique. Un gros poids lourd a crevé et son chargement de bois s'est répandu un peu partout.»

«Pas de problème.» Je serrai la boîte de Mélanie dans mes doigts comme si elle était la seule chose qui me restât au monde. «L'avion était en retard aussi.»

«Où sont tes bagages?» Oncle Dan regardait autour de nous comme s'il s'attendait à voir autre chose que mon sac à dos.

«C'est tout ce que j'ai», dis-je.

«Bien, je vais le prendre.» La grosse main d'Oncle Dan attrapa la courroie de mon sac à dos. «Qu'est-ce qu'il y a dans la boîte?»

«Oh, juste une affreuse poupée que Bob m'a

donnée.» Je tournai les yeux vers une poubelle et me demandai ce que dirait Oncle Dan si j'y fourrais Mélanie.

«Une affreuse poupée, oh!» s'esclaffa Oncle Dan. «Tu parles vraiment comme ta maman. Elle ne s'est jamais beaucoup intéressée aux poupées non plus.»

Quand nous arrivâmes à la porte, je sentis un courant d'air glacé, et Oncle Dan me dit: «Tu ferais mieux de mettre ton manteau, Tallahassee. Il fait froid dehors.»

Je levai les yeux vers lui. «Je n'ai pas de manteau», dis-je. «Je n'en ai jamais eu besoin en Floride.»

«Mais tu es au Maryland maintenant, Tallahassee. Liz n'a pas pu oublier comme il y fait froid en février.»

«J'ai quelque chose dans mon sac à dos.» Je fouillai dans mes habits et en retirai un vieux sweatshirt avec l'inscription « Les Dauphins de Miami». Je me le passai sur la tête et suivis Dan dehors. Il faisait sombre, et le vent soufflait comme s'il venait droit du pôle Nord. Pourquoi Liz ne m'avait-elle pas dit que j'allais vers l'océan Arctique? Baissant la tête, je courus vers la camionnette d'Oncle Dan.

«Je peux voyager derrière?» J'y avais déjà mis un pied, persuadée qu'il dirait oui.

«Bien sûr que non. Tu veux te faire tuer?»

«Qu'est-ce que tu veux dire? L'ancien ami de Liz, Roger, me laissait toujours voyager à l'arrière de son camion, et il ne m'est jamais rien arrivé.» Je regardais fixement Oncle Dan, trop surprise pour lui donner de vrais arguments.

«As-tu jamais pensé à ce qui pourrait t'arriver si je devais freiner brutalement?» Il ouvrit la porte du côté du passager. «Viens, Tallahassee, entre vite avant de mourir de froid.»

Estimant qu'il avait probablement raison quant au risque de mourir de froid, je me glissai sur le siège à côté de lui. Peut-être que quand il ferait plus chaud je réussirais à le convaincre de me laisser voyager à l'arrière. Mais bien sûr, je ne serai pas ici à ce moment-là, me rappelai-je. Je serai là-bas en Californie, roulant sur les vagues avec ma planche.

«Alors, comment va ta maman, Tallahassee?» Oncle Dan me jeta un coup d'œil tout en manœuvrant son camion parmi le flux de circulation qui quittait l'aéroport.

«Oh, elle va bien», lui dis-je. «Elle va devenir une actrice de cinéma célèbre.»

«Ah oui?» Oncle Dan me fixait des yeux.

« Bob a des connaissances à Hollywood. Tu vois, des amis dans le cinéma. Ils vont l'aider. »

« Je ne savais pas que Liz avait une expérience de la scène », dit Oncle Dan.

« Bob dit qu'elle a un talent naturel. » Je me penchai vers Oncle Dan, pour essayer de le convaincre, ainsi que moi-même, que Liz faisait ce qu'il fallait. « Elle était serveuse dans ce grand théâtre de Tampa qui fait café-concert, le genre à faire chanter toute l'équipe en chœur, et Bob était dans la cabine sono. Quand il a vu Liz, il a tout de suite pensé que ça pourrait marcher pour elle à Hollywood. Il dit qu'elle a le look et le talent qu'il faut. »

« Mais Hollywood ? » Oncle Dan avait l'air dubitatif. « Ce n'est pas facile d'entrer dans le monde du cinéma. »

« Liz est tellement belle, je suis sûre qu'elle sera star en un rien de temps », dis-je. « Et alors, tu pourras dire à tout le monde que tu es son grand frère. Tu seras célèbre toi aussi. Le magazine *People* viendra peut-être même t'interviewer, ou quelque chose comme ça. » Je lui fis un sourire, me sentant plus détendue maintenant que je commençais à mieux le connaître.

« Est-ce que Bob est sympathique ? » demanda Oncle Dan.

«Il est pas mal, je crois, mais il y a d'autres amis de Liz que j'aimais plus. En particulier Roger, celui qui me laissait aller à l'arrière de son camion. Il voulait se marier avec elle, mais elle ne voulait pas rester en Floride jusqu'à la fin de ses jours.»

«J'aurais vraiment bien aimé que Liz vienne avec toi», dit Oncle Dan. «Je serais tellement content de la revoir.»

Il poussa un soupir et aucun de nous ne dit plus rien pendant quelques minutes. Comme mon oncle, j'aurais tellement aimé que Liz soit assise là, dans le camion, avec nous. Elle semblait si loin, perdue dans la nuit, en croisière avec Bob sur une route que je n'avais jamais vue.

«Ta tante Thelma et moi, nous sommes ravis de t'avoir avec nous, Tallahassee», finit par dire Oncle Dan. «Tu es notre seule et unique nièce. C'est pourquoi tu comptes beaucoup.»

«Vraiment?» Je tournai les yeux vers lui, mais il regardait droit devant lui, attentif à la circulation.

«Regarde par là», dit-il, tendant un doigt vers la gauche. «Nous traversons le Potomac. Tu vois le Capitole et le Monument de Washington? Est-ce qu'ils ne sont pas jolis tout éclairés?»

Je regardais avec attention par-delà le fleuve,

n'arrivant presque pas à croire que je voyais là le plus célèbre bâtiment de toute l'Amérique. «On dirait que c'est dans un film», dis-je. «Est-ce qu'ils sont vraiment réels?»

Oncle Dan opinait de la tête. «Un samedi, Thelma et moi on t'emmènera voir les endroits célèbres. On pourra aller dans les musées, aussi. Ça te plairait?»

«Bien sûr.» Je tournai la tête et regardai la ligne d'horizon de Washington disparaître derrière nous. «Si nous avons le temps», ajoutai-je. «Je ne resterai pas très longtemps ici, tu sais.»

Quand nous arrivâmes à Hyattsdale, j'étais à moitié endormie, ma tête cognant contre l'épaule d'Oncle Dan.

«Nous sommes presque à la maison, Tallahassee.» Oncle Dan s'arrêta à un feu rouge. «Ça, c'est la rue Farragut», dit-il en quittant la route Un. «Nous habitons rue Oglethorpe, au croisement à droite.»

Collant mon nez à la vitre, je regardais avec attention les maisons que nous dépassions. La plupart étaient grandes et vieillottes. Elles étaient en retrait par rapport à la rue, entourées de vastes jardins avec des buissons et de grands arbres. Certaines avaient des tours sur le côté, et d'autres des coupoles sur le toit.

La plupart d'entre elles avaient de grandes vérandas qui vous faisaient penser à des journées d'été autrefois et à des dames en robes longues sirotant de la limonade.

Ici et là, coincés entre les grandes maisons, il y avait des bungalows avec des toits à lucarnes et des plantes grimpantes et de très grandes fenêtres de living-room. Dans la plupart des jardins, on pouvait voir des balançoires, et sous les porches des vélos. Tout cela n'évoquait rien d'autre que des gosses et des chiens, et toute une ambiance de banlieue ennuyeuse.

J'avais espéré qu'Oncle Dan habiterait dans une grande maison avec une tour, mais il s'engagea dans une allée longeant un bungalow gris et laid, puis arrêta le moteur. « Nous y sommes, Tallahassee », dit-il. « Entrons vite. Thelma a préparé un bon dîner chaud exprès pour nous. »

Baissant la poignée de la portière, je regardai Oncle Dan s'avancer devant le camion. Le vent cognait aux vitres, mais ce n'était pas seulement le froid qui me retenait de sortir. Dans quelques secondes j'allais me trouver face à face avec Tante Thelma - la vieille grincheuse, comme l'appelait Liz - et je me sentais comme un petit enfant qu'on envoie au bureau de la directrice. Vous voyez ce que ça peut faire – l'estomac tout noué, la bouche toute sèche, les jambes tremblantes, parce que vous savez que la directrice ne va pas être contente de vous voir, qu'elle ne va pas vous aimer.

«Viens, chérie.» Oncle Dan ouvrit la portière et me prit par le bras pour m'aider à sortir de la camionnette. «Nous voilà à la maison.»

Tremblant à cause du vent froid qui me cinglait le visage, je laissai mon oncle me guider le long de l'allée qui conduisait à la maison, qui ne pouvait pas être ma maison tant que Liz n'y serait pas.

CHAPITRE 3

Tante Thelma était là, sur le seuil de la porte, à nous attendre. Elle était petite et ronde, et ses cheveux étaient d'une couleur artificielle, plus ou moins entre le blond et le roux. Elle me souriait mais le petit chien à ses côtés aboyait férocement à mon encontre.

«Chut, Fritzi.» Elle prit le chien dans ses bras, mais il continua de me montrer les dents. Il était brun et blanc, avec une tête pointue. Comme Tante Thelma, il avait tendance à l'embonpoint.

«Bien, bien, te voici donc, Tallahassee.» Tante Thelma prononçait mon nom comme si c'était un mot étranger, et quand je me dirigeai vers elle, pensant qu'elle voudrait sans doute m'embrasser, elle recula vers l'intérieur de la maison sans même faire mine de me toucher.

«Je parie que tu as faim», dit-elle, en nous conduisant vers la salle à manger par un couloir sombre. «Ils ne donnent jamais assez à manger dans les avions.»

«Ils ne m'ont rien donné à part un paquet de noisettes grillées au miel et une bière sans alcool», dis-je. «Il n'y a que les premières classes qui ont un repas.»

«Eh bien, j'ai un bon ragoût tout prêt pour vous. Asseyez-vous seulement et vous aurez vos assiettes à l'instant.»

Je pris la chaise isolée qui se trouvait d'un côté de la table, et Oncle Dan s'installa tout au bout. Dans le silence, nous entendions clairement Tante Thelma, qui faisait toutes sortes de bruits dans la cuisine. Fritzi l'avait suivie, mais il gardait un œil sur moi, près de la porte. Quand il vit que je le regardais, il gronda faiblement.

«En général, les chiens m'aiment bien», dis-je à Oncle Dan.

«Oh, ne fais pas attention à Fritzi», répliqua-t-il. «Les enfants le rendent nerveux.»

«Je ne suis pas une enfant», dis-je. «Je suis une adolescente.»

«Voilà le dîner», dit-il.

Tante Thelma posa une assiette devant Oncle Dan et devant moi, puis en apporta une autre pour elle.

Mordant à pleines dents dans un feuilleté, Oncle Dan se tourna vers moi. «J'espère que tu as apporté ton appétit avec toi, Tallahassee. Thelma n'est pas loin d'être la meilleure cuisinière du monde. »

« Liz est bonne cuisinière aussi », dis-je, ce qui était un mensonge. Pendant des années nous avions vécu de pizzas congelées et de quatre-quarts de chez McDonald's.

Tante Thelma me fit un sourire. « Je suis si contente que Liz ait fini par rencontrer un homme bien. Il est temps qu'elle s'installe un peu. »

« Qu'elle s'installe ? » J'avalai une bouchée de ragoût. « Liz ne s'installera jamais. »

« Elle va se marier avec cet homme, n'est-ce pas ? » Le visage de Tante Thelma rougit légèrement.

« J'espère que non. » J'imaginai Liz et Bob mariés, habitant une petite maison ennuyeuse, avec un bébé, peut-être, ou autre chose. « Liz n'acceptera jamais de se marier. Jamais elle ne tombera dans le piège. »

Tante Thelma et Oncle Dan se regardèrent. Comme ils ne disaient rien, j'ajoutai : « Elle dit que les hommes finissent toujours par penser qu'on doit laver leurs chemises et les repasser et préparer le dîner tous les soirs. Liz ne pourrait jamais faire ça. »

On n'entendait que le bruit des ongles de Fritzi sur le sol de la cuisine, clic, clic, et j'eus l'impression d'avoir dit quelque chose de mal. Attrapant un morceau de ragoût d'un grand coup de fourchette, je ne m'occupai plus que de le mâcher, tandis que Tante Thelma me regardait fixement, la bouche trop pleine de feuilleté pour pouvoir dire quoi que ce soit.

Oncle Dan se tourna vers elle. «Tallahassee me dit que Liz espère faire carrière dans le cinéma. Ce Bob en question connaît des gens dans le milieu du cinéma. C'est bien ça?» Il me sourit, m'invitant à diriger la conversation vers des eaux moins troubles.

«Elle va devenir une grande star», dis-je fièrement à Tante Thelma. «Bob dit qu'elle a le look et le talent.»

«Vraiment?» Tante Thelma fusilla Oncle Dan du regard. «Tu te souviens quand elle allait à Washington et qu'elle jouait de la guitare au Dupont ? C'est là que tous les ennuis ont commencé.»

Oncle Dan changea de position sur sa chaise comme si tout à coup elle était devenue inconfortable. «Liz avait une belle voix», dit-il, avec une certaine raideur.

«Mais pas de formation. Aucune discipline.» Tante Thelma prit une bouchée de ragoût, la mâcha l'air pensif, et se tourna vers moi: «Et toi, Tallahassee ? Est-ce que tu chantes?»

«Liz dit que je suis exactement comme mon père

- que je chante comme une vieille casserole.» Pendant qu'ils échangeaient un autre regard, quelque chose soudain me vint à l'esprit. «Est-ce que vous l'avez connu? Mon père?»

Je posai ma fourchette, dans l'attente anxieuse de ce qu'ils allaient me dire. Toute ma vie, mon père avait été un mystère pour moi. Chaque fois que j'avais posé des questions à Liz à son sujet, elle m'avait ri au nez et raconté n'importe quoi. Parfois elle disait que c'était un dangereux criminel, un trafiquant de drogue, ou qu'il faisait des hold-up. D'autres fois c'était un comte d'un pays étranger ou un clown de cirque. Une fois quand même, il a juste été quelqu'un d'ordinaire, pas assez intéressant pour en parler. Tout ce que j'ai pu en savoir vraiment, c'est qu'il était roux, avec de grandes dents, comme les miennes, et qu'il ne savait pas chanter.

Oncle Dan pencha la tête au-dessus de son assiette et s'appliqua à en éponger la sauce avec sa pâte feuilletée, mais Tante Thelma secoua la tête. «Liz est partie d'ici avant que tu ne sois née, Tallahassee.»

Pendant le silence qui suivit sa réponse, la pendule du salon carillonna et le vent se mit à cogner aux carreaux. Et tandis que je les regardais, l'un et l'autre, je me persuadai qu'ils en savaient plus que ce qu'ils voulaient dire. J'avalai la dernière bouchée de ragoût et me promis de les sonder et les harceler jusqu'à ce que j'aie trouvé ce qu'ils me cachaient.

«Hou! On dirait qu'il commence à faire vraiment froid dehors.» Tante Thelma eut un frisson et elle resserra son pull sur elle. «Vous voulez un dessert?» demanda-t-elle. «J'ai fait une délicieuse tarte aux cerises exprès pour toi, Tallahassee.»

Quand nous eûmes terminé, Tante Thelma se tourna vers moi. «Tu as eu une grande journée. J'imagine que tu as envie d'aller te coucher.»

Je commençai à discuter avec elle. Après tout, il n'était que huit heures et demie, et d'habitude je me couchais aussi tard que je voulais. Mais j'étais épuisée, pas seulement à cause du voyage, mais parce que j'avais dû parler toute la soirée avec des étrangers. Le genre de conversation que nous venions d'avoir était complètement crevante.

Ayant dit bonsoir à Oncle Dan, je ramassai ma boîte et mon sac à dos et suivis Tante Thelma dans l'escalier.

CHAPITRE 4

«Voici l'ancienne chambre de Liz.» Tante Thelma ouvrit une porte au bout du couloir et une vague d'air froid nous assaillit. «C'est presque exactement comme elle l'a laissée. Dan n'a jamais eu le cœur de la débarrasser.»

Je regardai, derrière elle, les images de chevaux accrochées aux murs, un peu partout. Certaines avaient été découpées dans des magazines, mais la plupart d'entre elles étaient des dessins à la main.

«Quand Liz avait ton âge, elle était dingue de chevaux», dit Tante Thelma. «Puis elle a découvert les garçons.»

«Vraiment?» J'examinai certains de ses dessins. Dans toutes les écoles où j'étais allée, il y avait toujours eu une fille qui dessinait des chevaux. C'était drôle de penser qu'ici, à Hyattsdale, cette fille c'était Liz.

«Est-ce que tu aimes les chevaux?» Tante Thelma se tourna vers moi, me scrutant du regard. Ce qu'elle voulait me demander, en fait, j'en étais sûre, c'était: «Est-ce que tu es tout comme ta mère?»

Je fus tentée de lui dire que j'avais sauté les chevaux pour aller directement aux garçons, mais ça n'aurait pas été vrai. Au lieu de cela, je haussai les épaules. «Je les aime bien, oui.» En réalité, je ne m'étais jamais beaucoup intéressée aux chevaux, de façon ou d'autre.

Tante Thelma contempla un moment les dessins en silence. Puis elle se racla la gorge et se tourna vers moi. «Tallahassee, je voudrais mettre au clair un certain nombre de choses dès le début», commença-t-elle, comme si elle devait faire un discours qu'elle avait répété, et je m'armai de courage dans l'attente d'autres mauvaises nouvelles.

«Tant que tu es ici, avec nous, je veux que tu m'obéisses ainsi qu'à Dan et que tu fasses ce que nous te dirons de faire. Je ne sais pas quelle sorte de vie tu menais en Floride, mais ici nous avons des règles.»

Tandis qu'elle les énonçait, d'un ton monotone, pour les heures du coucher, pour la télévision, pour la propreté de ma chambre, je regardais fixement au sol le tapis à points noués, mal à l'aise. Liz ne s'était jamais préoccupée de l'heure à laquelle j'allais me coucher, ni du temps que je passais devant la télé, ni de l'état de ma chambre. Habituellement, je n'avais même pas de chambre, je dormais sur le divan ou quelque part ailleurs. Plus Tante Thelma en disait, plus Hyattsdale m'apparaissait horrible, et plus j'espérais n'avoir pas à y rester longtemps. Autrement, c'était sûr que je finirais par me sauver, exactement comme Liz.

«Je veux que ton séjour ici soit une expérience agréable pour nous tous.» Tante Thelma finit par s'arrêter de parler et rabattit le couvre-lit. Puis elle tapota l'oreiller et dit: « Passe une bonne nuit, dors bien, Tallahassee.»

Elle fit une pause sur le palier, comme si elle allait dire encore quelque chose. Changeant d'idée, elle m'envoya un tout petit sourire et repartit dans l'escalier.

Seule dans la petite chambre froide de Liz, j'ouvris mon sac à dos et en retirai ma chemise de nuit. Tout en me déshabillant, je regardai de près les chevaux de Liz. Leurs têtes étaient trop grosses, décidai-je, et leurs pattes trop longues. En vrai, ils n'auraient pas pu marcher sans tomber, mais la plupart d'entre eux sautaient par-dessus des haies, crinière et queue flottant au vent. Malgré leurs problèmes anatomiques, ils étaient pleins de vie et d'intelligence, pensai-je, comme Liz elle-même, en quelque sorte.

Avant de me mettre au lit, je jetai un coup d'œil à la boîte de Mélanie. Elle était posée sur la commode, le couvercle légèrement déplacé. Je l'ouvris et attrapai Mélanie.

«Toujours souriante, Tête de melon?» Je la secouai un peu. «Si tu avais quelque intelligence, tu braillerais autant que tu peux.»

J'allais la refourrer dans la boîte, mais elle continuait à sourire et tendait les bras comme si elle attendait d'être aimée. «Bon, d'accord», lui dis-je. «Tu peux dormir avec moi. Mais seulement cette nuit, idiote. Ne commence pas à croire que je t'aime bien ou quelque chose comme ça.»

Tremblante dans mon lit glacé, je me demandai où Liz pouvait bien être à présent. Est-ce qu'elle était encore en Floride ou bien dans le Mississippi, déjà? Pour la première fois de ma vie je regrettai de n'être pas meilleure en géographie. Peut-être Oncle Dan avait-il une carte, me dis-je, et qu'il me laisserait y mettre des petites punaises chaque fois que j'aurais une carte postale de Liz. Comme cela, je pourrais m'imaginer être dans tous les lieux qu'elle traversait, sur la moto du voleur de mère.

La première fois qu'on dort dans un endroit qu'on ne connaît pas, chaque petit bruit réveille. D'abord ce furent les ongles de Fritzi dans l'entrée, puis le sifflement d'un train, puis ce furent les voix d'Oncle Dan et de Tante Thelma, venant du mur qui séparait nos chambres.

«Il faut qu'elle sache qui commande, dès le départ», entendais-je dire Tante Thelma. «Sinon nous allons avoir une autre Liz sur les bras. J'ai quarante ans, Dan, et je ne pourrai pas supporter ça à nouveau. C'était suffisamment pénible la première fois.»

«Tallahassee a l'air d'être vraiment une enfant charmante», grommelait Oncle Dan. «Son sourire me rappelle tellement celui de Liz. Et certaines de ses attitudes. As-tu remarqué la façon dont elle repousse ses cheveux du visage? C'était vraiment comme de voir Liz à nouveau, au même âge.»

«C'est justement ça, Dan. Nous ne voulons pas d'une nouvelle Liz! Tu pensais aussi que c'était une enfant charmante, et vois comme elle a tourné. Presque trente ans et se comportant encore comme une adolescente. Partir pour la Californie à moto, pour devenir star de cinéma! Comment peut-on manquer de maturité à ce point?»

«Je ne vois pas de mal à tout ça, Thelma. Liz a

tant de talent. Si on peut réussir là-bas, elle réussira.»

«Elle a des responsabilités, Dan. Et si elle ne les assume pas, qui le fera?» La voix de Tante Thelma devenait forte. «Toi et moi, Dan, voilà qui! Je savais, quand Tallahassee est née, que nous finirions par l'élever. Je suis seulement étonnée que cela ait pris tant de temps.»

«L'avoir chez nous pour quelque temps n'est pas vraiment ce que j'appelle l'élever.»

«Tu crois vraiment que Liz va venir la chercher?» demanda Tante Thelma la voix plus forte. «Ça m'étonnerait bien que nous entendions jamais parler de ta sœur maintenant!»

«Chut, Thelma. Tu vas réveiller Tallahassee.» La voix d'Oncle Dan s'affaiblit, et j'entendis le lit craquer.

Puis Tante Thelma dit d'une voix plus douce: «Ce que je veux seulement, c'est que Liz ne profite pas de toi, Dan. Je ne veux pas qu'elle te brise le cœur à nouveau.»

Je ne bougeai pas, voulant en entendre plus, mais - en même temps - souhaitant n'avoir rien entendu de tout cela. Sur le mur en face de moi, les chevaux de Liz brillaient à la faible lumière, et je frissonnais, ressentant un froid qui me glaçait les os. Et si Tante

Thelma avait raison et que Liz soit partie pour de bon? La Californie était un grand État, et elle ne m'avait pas donné d'adresse. Juste une promesse de m'écrire tous les jours.

Serrant Mélanie très fort dans mes bras, je me rappelai notre vieux chat, Bilbo. Liz avait toujours affirmé qu'elle l'aimait, mais quand elle commença à fréquenter un type qui détestait les chats, Bilbo disparut juste à propos. Elle déclara qu'elle ne savait pas où il était parti, mais je la soupçonnai de l'avoir emmené quelque part en voiture et de s'en être débarrassé, loin de chez nous, pendant que j'étais à l'école.

Cela n'aurait pas été si grave si au moins Bilbo lui avait manqué. Mais pas du tout. Même pas un tout petit peu. «Ce qui est passé est passé», disait-elle chaque fois que je lui posais des questions à son sujet. «Loin des yeux, loin du cœur.»

C'était pareil pour les amis qu'elle avait eus avant de rencontrer Bob, même Roger, qui nous emmenait à la mer pour nager sous l'eau ou faire du ski nautique tous les week-ends. Une fois qu'elle avait rompu, elle ne pensait plus jamais à eux.

Allongée là, avec Mélanie dans les bras, je me demandai si Liz allait m'oublier. Je la voyais bien marchant le long d'une plage quelque part en Californie, en train de rire, de parler, ne se demandant même pas ce que je pouvais bien faire. Puis elle recevrait un télégramme de Tante Thelma lui disant que j'étais morte d'une pneumonie. Elle regarderait attentivement le message. «Tallahassee?» se dirait-elle. «Je ne connais personne qui s'appelle Tallahassee. Je croyais que c'était une ville, pas une personne.» Alors elle hausserait les épaules, ferait une boule du télégramme, et l'enverrait dans le Pacifique.

CHAPITRE 5

Tante Thelma me réveilla le samedi matin. «Il est presque neuf heures et demie», dit-elle. «Et il faut que nous allions faire des courses.»

Je me blottis sous les couvertures. «Moi et Liz, on dort toujours tard le samedi», dis-je, sans même essayer de lui sourire ou d'avoir l'air aimable. Je connaissais maintenant son sentiment à mon égard. Et à l'égard de Liz.

«Qu'est-ce que je t'ai dit hier soir à propos des règles?» Tante Thelma avait l'air d'humeur grincheuse, exactement comme moi. «Je veux que tu sois debout et habillée pour neuf heures, les week-ends.» Elle se croisa les bras et fronça les sourcils comme une gardienne de prison dans un vieux film.

Comme je ne bougeais pas, elle tira les couvertures, faisant tomber cette pauvre Mélanie par terre et m'exposant à l'air froid. «Habille-toi immédiatement. Ton petit déjeuner est servi, et ton oncle et moi, nous sommes prêts pour aller au centre-ville.»

Je sautai du lit, tremblante, et lui lançai un regard furieux. «Pourquoi devons-nous aller au centre-ville?»

«Tu n'as pas de vêtements d'hiver, pas même une veste. Je ne peux pas t'envoyer à l'école avec sur le dos ces petits vêtements légers que tu as apportés de Floride.»

«Si ma mère avait su que j'avais besoin de vête-ments chauds, elle en aurait mis pour moi!» Je sen-tais les larmes qui me sortaient des yeux, et pour ne pas qu'elle le remarque, je me mis à hurler: «J'ai tout entendu ce que tu as dit sur moi et sur Liz hier soir, et quoi que tu en penses, c'est quelqu'un de parfai-tement responsable. Je ne serai là que pour peu de temps, alors ne gaspille pas ton argent pour m'ache-ter des habits! Je n'en aurai pas besoin en Califor-nie!»

Le visage de Tante Thelma devint très rouge. «Ne sois pas insolente avec moi, Tallahassee Higgins! Je ne l'accepterai pas!»

«Que se passe-t-il?» Oncle Dan s'arrêta sur le pa-lier et son regard alla de moi à Tante Thelma, de Tante Thelma à moi.

«Dis-lui seulement de s'habiller.» Tante Thelma nous tourna le dos, les épaules carrées, le dos bien droit. «Nous devons aller faire les courses. Elle ne peut pas se promener ici en vêtements d'été.»

Tandis que lourdement elle descendait les marches, Oncle Dan mit ses bras autour de mes épaules et me donna un petit baiser. «Tu dois mourir de froid, chérie. Habille-toi avant d'attraper une pneumonie ou autre chose.»

«Elle me déteste», sanglotai-je. «Elle me déteste et Liz aussi.» «Tu nous as entendus parler hier soir, n'est-ce pas?» demanda doucement Oncle Dan.

Je hochai la tête et cachai mon visage dans mes mains. Je ne pleure presque jamais et déteste que des gens me voient en train de pleurer. «Mais ce n'est pas vrai», dis-je en pleurant. «Liz ne partirait jamais en m'abandonnant.»

«Bien sûr que non, chérie.» Oncle Dan me caressait la tête. «Ta tante est très énervée quelquefois et dit des bêtises. Elle n'a aucune raison de t'effrayer comme ça.» Il m'offrit son mouchoir. «Cesse de pleurer maintenant et oublie tout ça. D'accord?»

Quand Oncle Dan fut parti, j'attrapai Mélanie. «Liz va venir me chercher dans quelques semaines, je te parie», lui murmurai-je à l'oreille. «Je vais tellement lui manquer qu'elle va devenir toute triste, et Bob ne saura pas la réconforter comme moi.»

Je sortis de mon sac ma Baguette Magique de la Bonne Sorcière Glinda. Le bâton était tordu et l'étoile toute chiffonnée, mais je l'agitai en l'air et frappai doucement Mélanie à la tête. «Sois heureuse», chantonnai-je, et, sur la pointe des pieds, je volai tout autour de la chambre.

Contrairement à Liz, Mélanie ne se mit pas à rire devant mon rituel de sorcière, mais elle avait l'air heureuse. Je l'attrapai et la secouai légèrement, puis lui fis dire: «Liz t'aime plus que tout au monde, Tallahassee Higgins. Tu es la seule personne qui puisse la rendre vraiment heureuse.»

Asseyant Mélanie sur la commode, je mis sens dessus dessous mon sac à dos pour essayer de trouver des culottes qui n'aient pas de trous. J'en trouvai quatre seulement, toutes trouées, désespérément. Espérant que Tante Thelma ne me suivrait pas dans les cabines d'essayage du centre ville, j'enfilai la moins déchirée, passai mon jean et un T-shirt, et dévalai les escaliers.

Fritzi m'attendait dans l'entrée, grondant comme un chien sanguinaire. J'essayai de le contourner, mais il m'empêchait d'avancer et bloquait le passage.

«Gentil chien, gentil chien.» J'étendis la main vers lui comme Liz m'avait appris à le faire. «Laisse-les te sentir», disait-elle toujours, «pour qu'ils sachent que tu ne les menaces pas.»

Je suppose que le message ne passait pas, parce que Fritzi continuait à gronder, puis à aboyer, avec des jappements aigus et puissants.

«Tallahassee, laisse ce chien tranquille.» Tante Thelma entra dans la salle à manger et prit Fritzi dans ses bras. Elle lui donna un baiser sur la truffe et dit: «Viens, mon mignon, je vais te donner un os en plastique.»

«Je ne lui faisais rien», lui dis-je. «Si tu veux le savoir, il essayait de me mordre. Tu es sûre qu'il n'a pas la rage ou quelque chose comme ça?» Comme elle ne répondait pas, je tirai la langue à Fritzi, qui gronda après moi par-dessus l'épaule de Tante Thelma.

«Assieds-toi et mange, Tallahassee.» Tante Thelma posa un bol sur la table, à côté d'un verre de jus d'orange. «Nous n'allons pas y passer la journée.»

«Qu'est-ce que c'est que ça?» Je touillai le machin gris et chaud qui était dans le bol, pensant qu'elle avait dû me donner la nourriture de Fritzi par erreur.

«Tu n'as jamais mangé de flocons d'avoine?» demanda-t-elle froidement. Aucune de nous deux n'avait oublié la scène que nous avions eue à l'étage, et l'atmosphère de la cuisine était lourde de non-dits.

Je regardai la tasse qu'elle tenait à la main. «Je prendrai juste du café.» J'essayai de parler aussi froidement qu'elle.

«Du café?» Tante Thelma n'aurait pas eu l'air plus choquée si j'avais réclamé une bière. «Le café, c'est pour les adultes, pas pour les enfants. Tu vas manger ces flocons d'avoine, Tallahassee. Le petit déjeuner est le repas le plus important de la journée.»

Elle s'assit en face de moi et posa sa tasse sur la table. Je pouvais voir la fumée qui s'élevait en s'enroulant et sentir le bon arôme du café. Puis elle ouvrit le journal à la page des mots croisés, prit un crayon, et commença à remplir les cases vides.

Je ne sais pas combien de temps nous serions restées assises là si Oncle Dan n'était pas arrivé par la porte de derrière, haletant à cause du froid. «Vous êtes prêtes toutes les deux?» demanda-t-il.

«Quand Tallahassee aura fini son petit déjeuner», dit Tante Thelma.

«Je lui ai dit que tout ce que je voulais c'était du café, mais elle ne veut même pas m'en donner une tasse.» Je lançai des regards furieux à Tante Thelma, mais elle gardait la tête penchée au-dessus de ses mots croisés comme si c'était la chose la plus importante au monde.

Oncle Dan regarda ma bouillie d'avoine. «C'est froid, Thelma. Tu peux peut-être lui donner des corn flakes à la place.»

Tante Thelma lui envoya un regard mauvais, mais elle versa des corn flakes dans un bol qu'elle plaça devant moi. Puis, poussant un long soupir, elle jeta la bouillie d'avoine à la poubelle.

Quand j'eus suffisamment mangé pour la satisfaire, j'enfilai mon sweat-shirt et les suivis dehors jusqu'à la voiture de Tante Thelma, une vieille Ford. Je m'installai sur le siège arrière, qui répandait l'odeur de Fritzi, et Oncle Dan s'échina à faire démarrer le moteur.

«Le camion de Roger faisait exactement le même bruit», dis-je à Oncle Dan. «Il disait que c'était parce qu'il fallait changer le carburateur.»

Oncle Dan hocha la tête et Tante Thelma marmonna qu'elle ne savait pas que je m'y connaissais en moteurs d'auto. Finalement la voiture démarra et nous partîmes vers le centre-ville.

Lorsque Tante Thelma eut fini de me traîner d'un magasin à un autre à la recherche de soldes, je me retrouvai avec un anorak vert et bleu, un nouveau jean et trois sweaters, plus des chaussettes, des sous-vêtements et des gants. Cela me déplaisait fortement de penser à la somme d'argent que Tante Thelma avait gaspillée, mais je lui promis que Liz la rembourserait. «Jusqu'au dernier sou», dis-je. «Même si je n'ai besoin d'aucun de ces habits.»

De retour vers la rue Oglethorpe, nous croisâmes un McDonald's. «Est-ce qu'on pourrait déjeuner là?» Je me penchai par-dessus le siège, adressant ma demande à Oncle Dan.

«Certainement pas.» Tante Thelma tourna la tête vers l'arrière comme un cheval en colère qui se cabre. «Tu as eu un hot dog au centre-ville. Tu as assez mangé de ce genre de trucs pour aujourd'hui.»

Selon moi, on n'a jamais assez mangé de ce genre de trucs, mais j'avais mieux à faire que de perdre mon temps à l'expliquer à Tante Thelma. Au lieu de ça, je m'enfonçai dans le siège arrière et me demandai ce que Liz pouvait bien faire en ce moment. J'étais prête à parier que le voleur de mère et elle étaient en train de manger des Big Macs quelque part.

Après le dîner, il y eut un nouvel affrontement entre Tante Thelma et moi. Cette fois-ci, ce fut pour la télévision. Je refusais d'aller me coucher et voulais voir *La Fiancée de Dracula* qui passait à l'émission de cinéma *Créatures*, mais Tante Thelma tenait à me rappeler que mon heure de coucher était neuf heures trente le week-end.

«Il n'est absolument pas question que tu restes jusqu'à deux heures du matin pour regarder un film d'horreur», dit-elle.

«Liz me laisse voir tout ce que je veux.» Je lançais à Tante Thelma des regards furieux. «Et elle ne m'oblige jamais à aller au lit.»

Je suis sûre que Tante Thelma croyait que je mentais, mais pas du tout. Toute ma vie j'avais regardé des films d'horreur, en partie parce que Liz avait peur de les regarder toute seule. Et je ne suis jamais allée me coucher avant de tomber complètement de sommeil, généralement par terre, devant la télévision. A ce moment-là, Liz me portait jusqu'à mon lit.

«Eh bien, tu ne vis pas avec Liz pour le moment.» Tante Thelma éteignit le poste de télé en plein milieu d'un vieux film qui repassait, *L'Ile merveilleuse*. «Donc, tu montes, avant que je perde patience.»

«Est-ce que je ne peux pas regarder au moins la fin de *L'Ile merveilleuse*?» demandai-je. «C'est l'un de mes préférés. La femme qui est là va boire à la fontaine de jouvence - c'est son souhait - et après elle va s'apercevoir que c'est vraiment horrible de voir tous les gens qu'on aime vieillir pendant que soi-même on reste jeune, et le petit nain va...»

«Ça suffit, Tallahassee.» Tante Thelma m'interrompit brutalement. «Si tu connais l'histoire par cœur, tu n'as pas besoin de la revoir.»

«Mais je ne me souviens pas de tout», dis-je. «Je ne sais plus comment ça finit. Il y a toujours ce sort qui agit, tu comprends, et...»

Tante Thelma posa ses mains sur mes épaules et me fit faire demi-tour, en direction des escaliers. «Va au lit», dit-elle. «Immédiatement!»

«Tu me détestes!» hurlai-je à Tante Thelma au moment même où Oncle Dan arrivait de la cave. «Tu détestes Liz et tu me détestes!»

«Occupe-toi d'elle», dit Tante Thelma à Oncle Dan. «Je ne peux pas accepter un comportement pareil.»

«Tout ce que je voulais, c'était rester voir *La Fiancée de Dracula*», dis-je à Oncle Dan, «mais elle ne veut même pas me laisser voir *L'Ile merveilleuse*.»

«Sois gentille et fais ce que te dit ta tante, Tallahassee», dit Oncle Dan avec douceur, tandis que Tante Thelma, d'un air digne, se dirigeait vers la cuisine, avec Fritzi sur ses talons. «Tu sais bien que c'est l'heure de te coucher.»

J'ouvris la bouche pour argumenter, mais Oncle Dan secouait la tête. «Vas-y, maintenant», dit-il.

Tristement, je montai à ma chambre, me déshabillai, et allai au lit avec Mélanie. «Eh bien», chuchotai-je, «les choses vont de mieux en mieux, n'est-ce pas?»

«J'espère que Liz va t'envoyer bientôt l'argent de ton billet», fis-je dire à Mélanie. «Ou alors on va devenir dingues toutes les deux.»

Tenant dans les bras cette idiote de Tête de melon, je me mis à regarder attentivement les ombres du plafond et à penser à des histoires à partir des formes qu'elles avaient. Si je regardais vraiment bien, je pouvais voir Liz et Bob roulant à moto juste au-dessus de ma tête. Les cheveux de Liz volaient autour de son visage, le cachant presque, mais je savais qu'elle pensait à moi, que je lui manquais, qu'elle aurait voulu que je sois là pour lui faire une petite danse ou lui raconter une nouvelle blague complètement dingue.

Chapitre 6

Dimanche fut un jour gris, plein de pluie et de vent. Je m'arrangeai pour éviter Tante Thelma en passant la plus grande partie de l'après-midi dans la chambre de Liz, à lire ses vieux livres sur les chevaux et à me faire du souci pour l'école. Comment étaient les jeunes au Maryland ? Mes vêtements, mes cheveux, mon accent – tout en moi pouvait leur paraître bizarre. Et s'ils se moquaient de moi ? Et si personne ne voulait m'avoir pour amie ?

Avant d'aller dormir ce soir-là, j'eus une longue conversation avec Mélanie. «Je suis allée déjà dans dix écoles», lui dis-je, «parce que Liz n'a jamais aimé rester au même endroit plus de quelques mois. Et je n'ai eu à peu près que trois amis, de toute ma vie, mais ça n'a jamais eu d'importance parce que j'avais Liz. Maintenant, je suis toute seule.»

Je serrai Mélanie dans mes bras et regardai fixement les chevaux de Liz qui galopaient sur les murs de papier fleuri. «Tu crois que quelqu'un m'aimera bien?» demandai-je à Mélanie.

«Evidemment», lui fis-je dire. Elle m'était fidèle. «Toutes les filles voudront s'asseoir à côté de toi à la cantine, et les garçons tomberont tous amoureux fous de toi.»

Cela me fit rire. «Même si j'ai de grandes dents et des millions de taches de rousseur?»

Je fis hocher la tête à Mélanie. «C'est justement ça qu'ils aiment, au Maryland, j'ai entendu dire. De grandes dents et des taches de rousseur et des cheveux roux. Et n'oublie pas que tu sais raconter des blagues et marcher sur les mains et faire parfaitement la roue et dessiner presque n'importe quoi. Tout le monde n'a pas le talent que tu as, Tallahassee Higgins.»

«Mais ils peuvent trouver que je parle d'une drôle de façon. Et si je ne sais pas faire leurs maths et tous ces trucs-là?»

«Oh, tu ne vas rester là que quelque temps», dit Mélanie. «Après tu seras en Californie, là où le soleil brille toujours et où la mer est toujours bleue, là où les feuilles ne tombent jamais des arbres.»

Grâce à ces pensées réconfortantes, je plongeai dans le sommeil.

Le lendemain matin, après qu'Oncle Dan fut parti pour son travail à la compagnie des téléphones, Tante Thelma me conduisit à l'école en voiture. Normalement, m'expliqua-t-elle, elle serait au travail avant même que j'aie quitté la maison, mais la banque lui avait accordé pour aujourd'hui une permission spéciale de venir plus tard. Elle voulait être sûre que je serais à l'heure à l'école.

«Maintenant, fais bien attention par où je passe, pour pouvoir rentrer à la maison», dit Tante Thelma en sortant de l'allée. «C'est à six pâtés de maisons seulement, et tu rencontreras sûrement d'autres enfants qui feront le chemin avec toi.»

«Est-ce qu'il y a d'autres enfants de mon âge qui habitent près d'ici?» Je regardai une fille aux longs cheveux bruns qui marchait derrière trois garçons plus jeunes, probablement ses petits frères. Les garçons se poussaient et se donnaient des coups, se disputant pour je ne sais quoi, et la fille faisait de son mieux pour les ignorer. Elle nous regarda attentivement pendant que nous la dépassions, et Tante Thelma lui fit un signe de la main.

«C'est Jane De Flores et ses frères», me dit-elle. «Ils habitent la maison derrière la nôtre.»

Je me retournai pour regarder par la vitre arrière

Jane et ses frères, toujours en train de se battre, et qui rapetissaient à vue d'œil. «Est-ce qu'elle est gentille?»

Tante Thelma hocha la tête. « C'est une fille adorable.»

Avant que j'aie pu lui poser d'autres questions, nous nous engageâmes dans la rue de l'école primaire Pinkney Magruder. Cela ressemblait à une prison. Des briques rouge foncé, deux étages, de petites fenêtres, et de grandes portes vertes en haut d'un escalier de ciment.

Sur l'un des côtés, les balançoires du terrain de jeux s'agitaient au gré du vent et leurs chaînes faisaient un bruit de claquement triste. Des gosses couraient tout autour en poussant des hurlements et des cris de guerre. Cela me faisait mal au ventre de penser que j'allais rencontrer tant d'inconnus.

«Savais-tu que ta mère est allée dans cette école même?» demanda Tante Thelma. «Et Oncle Dan et moi aussi.» Elle sourit et lissa son manteau. «Cela semble hier.»

Pour moi, cela semblait être il y a un siècle. Je ne pouvais tout simplement pas imaginer Tante Thelma ou Liz montant ces marches, passant la grande porte verte à deux battants, pour arriver à l'horrible préau carrelé, sentir les odeurs de spaghettis et de hot dogs, la cire sur le sol et la poussière de craie. En vérité, cela me donnait l'impression que les lieux étaient pleins de fantômes.

Dans le bureau, Tante Thelma s'arrêta près du comptoir et attendit que la secrétaire levât les yeux de sa machine à écrire.

« Je suis venue la semaine dernière pour inscrire ma nièce, Tallahassee Higgins. » Tante Thelma me poussa vers l'avant.

La secrétaire fouilla dans la pile de papiers qui était sur son bureau. « Oh oui, on s'est bien occupés de toi, Tallahassee. Tu seras dans la classe de Madame Duffy : 6-B, salle 201. Je vais demander à quelqu'un de t'y amener. »

« Attends une minute, Tallahassee, j'allais oublier. » Tante Thelma ouvrit son porte-monnaie et en sortit une clé attachée à une longue chaîne, du genre de celles qu'on trouve attachées, souvent, à la bonde des baignoires. « Prends ça et ne le perds pas. Je serai à la maison vers quatre heures et demie. Tu peux prendre deux gâteaux et un verre de lait, mais je veux que tu remettes en ordre tout ce que tu déranges. »

Coinçant la clé dans ma poche, je me mis à regarder par terre, trop gênée pour supporter son regard.

Est-ce qu'elle était obligée de me parler ainsi, comme si j'étais un bébé, alors que la secrétaire se penchait au-dessus du comptoir qui nous séparait et écoutait tout ce qui se disait?

«Voici Dawn», dit la secrétaire au moment où une fille entrait dans le bureau, avec un laissez-passer. «Voici Tallahassee Higgins, ma grande. Est-ce que tu veux bien lui montrer où se trouve la 6-B?»

Le regard de Dawn glissa sur moi, sur mon nouveau jean raide, mes grandes dents, et mes cheveux emmêlés que le vent avait secoués de tous côtés. Je regrettai de n'avoir pas apporté de peigne avec moi, dis au revoir à Tante Thelma et suivis Dawn hors du bureau.

Marchant derrière elle, je remarquai que ses cheveux à elle formaient des vagues parfaites, que son jean lui allait juste bien, et que son sweater bleu pâle était assorti à ses chaussures de sport. Dawn était le genre de fille à côté de qui tout le monde voulait s'asseoir, et j'étais persuadée que toutes les blagues dingues que je connaissais ne l'impressionneraient pas du tout; elle les aurait déjà toutes entendues.

«Je n'ai jamais rencontré personne qui s'appelait Tallahassee jusqu'à maintenant», dit Dawn en me conduisant à travers un long couloir. «J'ai toujours pensé que c'était un nom de ville, pas un nom de personne.»

Je fixai mon regard sur les carreaux bruns du sol, déplorant que Dawn ait tout de suite mis le doigt sur le problème de mon nom. Cela me gênait tellement, jamais je ne le pardonnerai tout à fait à Liz. Oh, elle avait de bonnes raisons. «Higgins est un nom de famille si ordinaire», disait-elle toujours lorsque je me plaignais. «Je voulais quelque chose qui chante un peu à côté. Pas Ann ou Mary, c'est tellement ennuyeux. Tu es née à Tallahassee, me suis-je dit, alors pourquoi pas?»

Après quoi Liz riait et disait: «Sois seulement contente de n'être pas née à Peoria ou Kalamazoo, ma petite.»

Jetant un coup d'œil à Dawn, je repoussai les mèches de cheveux qui me tombaient dans les yeux et dis: «C'est un vieux nom de famille, mais quand je serai grande, je le changerai contre un autre plus joli. Comme Tiffany ou Meredith.»

«Je n'aime pas mon nom non plus», dit Dawn. «Quand j'aurai un gosse, je l'appellerai juste chéri, ou quelque chose comme ça, et quand il sera assez grand pour choisir, il prendra le nom qu'il voudra.»

Nous nous arrêtâmes à une fontaine pour boire de l'eau. Dawn me demanda d'où je venais.

«De Floride», dis-je. «Je suis de passage chez mon oncle et ma tante, juste pour une quinzaine de jours. Après je partirai pour la Californie. Ma mère est déjà en route pour Hollywood.»

«Vraiment?» Dawn avait l'air impressionnée. «Est-ce qu'elle est actrice?»

«Pas encore», dis-je, «mais son ami connaît des tas de gens dans le cinéma, et il est certain qu'elle va devenir une grande star.»

Dawn retint son souffle. «C'est excitant, non?»

«Oh oui, c'est sûr.» J'hésitai. Et si je racontais à Dawn que Liz était pressentie pour un rôle où elle aurait comme partenaire quelqu'un comme Richard Gere? Est-ce qu'elle me croirait?

«Voilà la 6-B», dit Dawn. «Je te garderai une place à notre table pour déjeuner, et tu pourras tout me dire sur ta mère. D'accord?»

Au moment précis où nous entrâmes dans la salle, tout le monde s'arrêta de parler et me fixa des yeux. Une grande dame avec des cheveux gris se leva de derrière son bureau et me sourit.

«Bienvenue à l'école primaire Pinkney Magruder, Tallahassee.» Madame Duffy me prit la main et la serra chaleureusement. «Nous sommes vraiment contents de t'avoir», dit-elle. Sa voix était aussi douce et chaude que ses mains.

Après m'avoir présentée à la classe, elle me désigna un siège vide près de la fenêtre. «Tes livres sont déjà là, qui t'attendent. Nous sommes en train de faire une révision des fractions.»

Je m'assis et considérai les initiales qui étaient gravées en haut de mon bureau. S'il y avait quelque chose de plus détestable pour moi que les maths, je ne voyais pas ce que ça pouvait être.

Quelques minutes plus tard, je jetai un coup d'œil vers Dawn, de l'autre côté de la classe. Elle et deux autres filles se faisaient passer des petits mots. A leur façon de me regarder, j'étais sûre que Dawn leur disait des choses sur ma mère, la star de cinéma.

Je remarquai Jane De Flores, aussi, assise deux rangées plus loin. Son regard croisa le mien et elle sourit, laissant voir largement son appareil dentaire.

«Tallahassee, tu connais la réponse?» Décontenancée, je regardai avec de grands yeux Madame Duffy et le problème qu'elle avait écrit au tableau. C'était long et horrible et rempli de symboles bizarres. Le garçon de la rangée d'à côté agitait la main, et sautait sur son siège dans un grand désir d'être interrogé, et une fille me donna un petit coup en chuchotant quelque chose sur la recherche du dénominateur commun, ou quelque chose comme ça.

Mon visage se mit à rougir, je secouai la tête. «Dans mon école en Floride, nous n'en étions pas encore aux fractions.» Ce qui n'était pas tout à fait la vérité. Nous en étions déjà là, mais je n'y avais prêté aucune attention parce que je savais que nous allions déménager.

Je m'attendais à ce que Madame Duffy fronce les sourcils ou ait l'air contrariée, mais elle se contenta de sourire avec sympathie et de dire que nous aurions à les étudier ensemble après l'école ou à un autre moment. Provisoirement soulagée, je m'enfonçai plus profondément dans mon siège, espérant qu'elle ne s'adresserait plus à moi. Est-ce qu'elle se rendait compte que je n'étais ici que de passage?

Après les sciences sociales et l'anglais, la cloche sonna pour le déjeuner, et Dawn et ses amies, Terri et Karen, m'emmenèrent à la cafétéria avec elles. Bien que j'aie pu sentir l'odeur des hot dogs et des spaghettis et peut-être de la choucroute, le déjeuner du jour se composait de pizza, de haricots verts, de pain et de gelée de cerise.

Dès que nous fûmes assises, Dawn se pencha vers moi.

«Est-ce que tu as une photo de ta mère?»

Je lui en tendis une que Roger avait prise l'été dernier à la plage. Liz était en bikini, et ses longs cheveux se soulevaient au vent. J'étais assise à côté d'elle, plissant les yeux à cause du soleil et serrant dans mes bras le chien de Roger, Sandy.

«Elle est belle.» Dawn montra la photo à Karen et Terri. «Tu ne lui ressembles pas du tout», ajouta-t-elle.

« Je tiens de mon père.» Je remis la photo dans mon portefeuille et fis semblant de ne pas entendre Karen murmurer: «Dommage.»

«Et alors, est-ce qu'elle va vraiment devenir une star?» demanda Terri.

Avant de répondre, je respirai un grand coup. «Elle pourrait avoir un rôle dans le nouveau film de Richard Gere», dis-je. «Il a vu sa photo, et elle l'intéresse vraiment beaucoup.»

«Richard Gere?» Dawn s'étranglait avec sa pizza. «Tu parles sérieusement?»

Je fis signe que oui. Dans ma tête, je voyais Liz dans un studio, les projecteurs éclairant sa chevelure dorée, elle était avec Richard Gere, chacun jouant son rôle. La scène m'apparaissait tellement réelle que j'avais l'impression de la regarder dans une boule de cristal et de voir l'avenir pour de vrai.

«Le film a pour titre *L'Ile*», commençai-je, «c'est l'histoire d'une femme très belle qui est en voyage de noces avec son nouveau mari, Richard Gere. Elle a une fille d'un précédent mariage, mais elle la laisse à une tante cruelle tandis qu'elle part aux Caraïbes.»

Pendant que je parlais, je voyais tout le film se dérouler devant mes yeux. La fille serait jouée par une actrice encore plus jolie que Dawn, mais la tante ressemblerait à la sorcière dans *Le Magicien d'Oz*, et tous les spectateurs seraient absolument désolés pour cette fille.

«Au début on voit comme la mère est heureuse, riant, nageant, passant merveilleusement le temps, ne pensant presque jamais à sa fille», continuai-je. «Puis c'est la fille qu'on voit, très malheureuse. Elle doit dormir dans une chambre froide, et ne peut pas regarder la télé ou aller dans un McDonald's ni même boire du café, tout ça parce que la tante déteste énormément la fille de cette mère.»

«Dis-nous tout de suite le plus intéressant», interrompit Dawn, ne réalisant pas, apparemment, que j'étais justement en train de le raconter. «Est-ce que ta mère va embrasser Richard Gere?»

Elle et Terri et Karen se mirent toutes à rigoler et à me regarder avidement. «Bien sûr que oui», dis-je. «Ce n'est pas un film tous publics.» Je tapotai ma gelée avec la cuillère et elle se mit à trembler comme si elle était vivante.

Quand arriva le moment de rentrer en classe, j'en étais à croire que Liz allait devenir la plus grande star d'Amérique. Tandis que Madame Duffy débitait des platitudes sur l'histoire des Etats-Unis et d'autres sujets ennuyeux, je rêvais de mon avenir à Hollywood. Dans mon imagination, Liz et moi marchions le long d'une plage. «Tu m'as tellement manqué, Talley», disait Liz, et l'océan Pacifique recouvrait le sable doucement et venait s'enrouler autour de nos chevilles.

Puis Richard Gere arrivait et proposait de me donner un rôle dans le film à moi aussi. «Talley est une merveilleuse actrice», lui disait Liz. «Elle a, de manière étonnante, ce talent naturel. Elle n'est sans doute pas capable de faire des fractions, mais attendez de la voir à l'écran.» Ensuite, elle me serrait très fort dans ses bras, et d'y penser j'en aurais presque pleuré, ici même, à l'école.

Chapitre 7

Quand la cloche sonna la fin des cours, je me précipitai hors de la salle. Je n'avais pas envie que Madame Duffy me retienne pour une leçon sur les fractions, et je ne voulais plus raconter d'autres histoires sur Liz et sa carrière dans le cinéma.

Comme je traversais la rue, cependant, j'entendis quelqu'un m'appeler. Regardant par-dessus mon épaule, je vis Jane De Flores qui courait pour me rattraper, ses frères la talonnant. Bien qu'elle ne se soit pas assise avec Dawn et ses amies au déjeuner, j'avais remarqué plusieurs fois qu'elle me regardait fixement.

«Tu veux bien que je t'accompagne?» demandat-elle. Je fis signe que oui. Les garçons me regardaient intensément comme si je venais juste de tomber d'une autre planète.

«Ma tante dit que tu habites la maison derrière la

sienne et celle d'Oncle Dan», dis-je, comme nous arrivions à hauteur de la rue Oglethorpe.

«C'est exact.» Jane se tourna vers ses frères. «Voici Matthew, Mark, et Luke», me dit-elle. «Si ma mère a encore un garçon – ce que je n'espère vraiment pas – elle l'appellera John. Tu sais, les noms des quatre apôtres.»

Les garçons, qui semblaient avoir environ neuf, huit et sept ans, marmonnèrent quelque chose, et Luke demanda:

«Qu'est-ce que c'est que ces choses brunes que tu as sur la figure?»

Jane le poussa du coude, mais j'avais l'habitude que les gens me taquinent sur mes taches de rousseur. «Ce sont des taches», lui dis-je. «Je suis une panthère.» Je montrai les dents et me jetai sur lui en pliant les doigts comme des griffes.

Luke recula d'un bond, mais Matthew et Mark éclatèrent de rire. «Ce sont des taches de rousseur, idiot», dit Matthew, et il donna à Luke une bourrade amicale, qui l'envoya voler jusqu'à la haie.

«Ça va avec ses cheveux orange», ajouta Mark. Puis, à mon soulagement, tous les trois se mirent à courir devant, nous laissant la possibilité de parler, Jane et moi.

«Savais-tu que ta mère et la mienne se connaissaient?» demanda Jane.

«Ah oui?» Liz ne m'avait jamais parlé de ses vieilles amies. En fait, chaque fois que je lui posais des questions sur Hyattsdale, elle disait que c'était de l'histoire ancienne.

«J'ai entendu ma mère parler à ta tante au téléphone avant que tu n'arrives.» Jane s'arrêta au coin de la rue. «C'est là que j'habite. Est-ce que tu voudrais entrer et faire sa connaissance?»

Si la maison de Jane avait une toiture de couleur rousse, et celle d'Oncle Dan une de couleur grise, elles étaient, par ailleurs, exactement semblables, vues du dehors. A l'intérieur, par contre, elles étaient très différentes. Certains murs, dans la maison de Jane, avaient été abattus, rendant les pièces plus grandes et plus lumineuses, et une chambre supplémentaire avait été accolée à l'arrière; elle avait un plafond en pente avec une ouverture sur le ciel et des portes coulissantes qui donnaient accès à une terrasse. Tout semblait neuf et moderne, particulièrement dans la cuisine.

Les garçons nous avaient devancées. Matthew et Mark jouaient à un jeu vidéo bruyant, faisant exploser des «étrangers» et des vaisseaux spatiaux et se disputant. Luke essayait de reprendre une figurine de *La Guerre des étoiles* à une petite fille – une sœur, j'imagine – et un nourrisson pleurait dans un parc pour bébé. On se serait vraiment cru dans une garderie d'enfants.

Quand Madame De Flores me vit avec Jane, elle arrêta de couper en tout petits bouts ses oignons. Je m'attendais à ce qu'elle m'ouvre tout grands les bras et m'embrasse, moi, la fille de sa vieille amie qu'elle n'avait pas vue depuis si longtemps. Mais même après que Jane lui eut dit qui j'étais, elle resta là, sans bouger, se contentant de me fixer des yeux.

«Tu es donc Tallahassee», finit-elle par dire. M'examinant attentivement des pieds à la tête, elle ajouta : «Tu ne ressembles pas du tout à ta mère.»

«C'est ce que tout le monde dit.» Je la regardai couper ses oignons en morceaux de plus en plus petits. «Liz dit que je tiens de mon père.»

Madame De Flores me regarda à nouveau et se mordit la lèvre inférieure. Sans dire un seul mot, elle continua à hacher ses oignons.

«Jane dit que Liz et vous étiez amies», continuai-je, espérant encore de sa part une réaction de sympathie.

«Nous nous connaissions.»

«Mais tu m'as dit que vous jouiez ensemble tout le temps», dit Jane. «Vous avez fait le passage à travers la haie pour courir d'un côté à l'autre.»

«C'était il y a longtemps, lorsque nous étions enfants.»

En ayant terminé avec ses oignons, Madame De Flores les fit glisser dans un plat creux avec de la viande hachée et concentra son attention sur du poivre vert.

«Liz est en route pour la Californie maintenant», dis-je en prenant une poignée de gâteaux secs dans le sac que me tendait Jane.

«Pour être star de cinéma», ajouta Jane.

«C'est ce que m'a dit ta tante.» Madame De Flores commenca à mélanger de l'œuf et des miettes de pain à la mixture, dans le plat creux. «Luke!» hurla-t-elle soudain. «Laisse Suzanne tranquille. Si tu la frappes encore une fois, tu vas le regretter!»

«Mais elle m'a pris mon Darth Vader!» hurlait Luke. «Et elle ne veut pas me le rendre!»

«Rends ce jouet à Luke!» cria Madame De Flores. « A l'instant même, ma chère, ou je commence à compter!»

Suzanne éclata en sanglots et jeta Darth à la figure de Luke. Il attrapa son jouet et rejoignit Mark et

Matthew devant le jeu vidéo ; Suzanne le suivit, tout en continuant de pleurnicher.

« Dès que Liz sera installée, je la rejoindrai là-bas. » J'élevai la voix pour retenir l'attention de Madame De Flores. « Je lui dirai que je vous ai vue. »

Madame De Flores fit un signe de tête et plaça le pâté de viande dans un plat à four. « Jane, arrête de manger des gâteaux. Tu n'auras plus du tout faim au dîner. »

Comme Jane commencait à monter les escaliers avec moi, pour m'amener à sa chambre, Madame De Flores lui lança : « N'oublie pas que tu dois mettre le couvert et faire d'autres choses pour moi d'ici une demi-heure. Tu ferais mieux de ne pas perdre tout ton temps libre en conversations, je suis sûre que tu as du travail d'école à faire. »

« Combien de frères et sœurs as-tu, au fait ? » demandai-je à Jane après qu'elle eut claqué sa porte au nez de Suzanne pour l'empêcher d'entrer dans sa chambre avec nous.

« Trop », dit Jane. « Trois frères et deux sœurs. »

« Janie, Janie, laisse-moi entrer ! » Suzanne cognait à la porte.

« Va-t'en, sale mioche ! » hurla Jane à Suzanne en ouvrant à peine la porte.

«Laisse-moi entrer.» Suzanne essaya de se faufiler dans la pièce, comme un représentant de commerce.

«M'man!» beugla Jane. «Dis à Suzanne de nous laisser tranquilles!»

A mon grand soulagement, Madame De Flores appela Suzanne et la menaca encore de compter si elle ne venait pas tout de suite.

«Pourquoi m'as-tu dit que nos mamans étaient amies?» demandai-je à Jane, tandis que Suzanne descendait les escaliers en pleurant et trépignant.

«Je croyais qu'elles l'étaient.»

«Ta mère n'en donne vraiment pas l'impression.» J'allai à la fenêtre et regardai, au-delà du jardin, l'arrière de la maison d'Oncle Dan. Franchement, j'étais très déçue par Madame De Flores, mais je ne voulais pas mettre Jane dans l'embarras en le lui disant. Dès qu'elle m'avait dit que sa mère connaissait Liz, j'avais été persuadée que Madame De Flores serait folle de moi. Les amis de Liz me trouvaient toujours fantastique.

Mais, autant que je puisse en juger, Madame De Flores ne m'aimait pas plus que Tante Thelma, et je ne pouvais pas me l'imaginer comme ayant été l'amie de Liz. Pour commencer, elle avait l'air beaucoup plus vieille. Et elle n'avait aucun sens de l'humour.

Jane avait dû mal comprendre ce que lui avait dit sa mère, me dis-je. Peut-être avait-elle été l'amie de Tante Thelma, mais de Liz, non.

Jane me rejoignit à la fenêtre et je lui montrai du doigt la maison d'Oncle Dan. «C'est la fenêtre de ma chambre, juste en face de la tienne.»

«J'ai lu une fois un livre où des enfants avaient construit un téléphone avec des boîtes de conserves pour relier leurs chambres», dit Jane. «Peut-être qu'on pourrait faire pareil, toi et moi.»

«Tu sais comment?»

«Non, mais mon papa est très bon pour ces trucs-là. Je suis sûre qu'il pourrait nous bricoler ça.»

Tandis que Jane et moi devisions, je vis la voiture de Tante Thelma s'engouffrer dans l'allée. «Je crois que je ferais mieux d'y aller». J'attrapai ma veste et commencai à descendre les marches, Jane me suivit.

«Tu peux couper par notre jardin», dit-elle, en passant par le trou de la haie. «Viens, je vais te montrer.»

«Où vas-tu, Jane?» demanda Madame De Flores. «C'est l'heure de mettre le couvert.»

«Je reviens tout de suite.» Jane se précipita dehors avant que sa mère ait pu dire quoi que ce soit. «Tu veux qu'on aille ensemble à l'école demain?» demanda-t-elle, alors que nous nous arrêtions près de la haie.

«Bien sûr.» J'avais envie de rire et de sauter de tous les côtés et de faire la folle; peut-être que Madame De Flores ne m'aimait pas, mais Jane, si.

Je la regardai courir vers sa maison, ses longs cheveux raides volant derrière elle. Puis, me frayant un chemin par le trou de la haie, je me heurtai à des restes de jardin potager, pour me précipiter ensuite vers les marches du perron.

Quand je fus dans la maison, je vis Tante Thelma, dans le couloir, qui emportait le courrier. «Où étais-tu?» demanda-t-elle. «Je t'avais dit d'être là quand je rentrerais.»

«J'étais là-bas, chez Jane.» Je saisis le courrier. «Est-ce qu'il y a une carte postale pour moi?»

«C'est un peu tôt pour en espérer une», dit Tante Thelma, tandis que je tripotai les prospectus adressés aux résidents. «Vers la fin de la semaine, tu devrais avoir des nouvelles de ta mère.»

«Ce sera avant», dis-je avec confiance. «Elle m'a promis d'écrire tous les jours.»

Tante Thelma partit vers la cuisine et sortit différentes choses du réfrigérateur. «Tiens, Tallahassee, épluche-moi ça.» Elle me tendit six pommes de terre et commença à enlever le gras d'un morceau de viande, pendant que Fritzi flairait autour de ses pieds, espérant bien attraper quelque chose, j'imagine.

«Est-ce que Liz et Madame De Flores étaient amies autrefois?» demandai-je à Tante Thelma.

«Elles se connaissaient.» Tante Thelma me lança un regard. «Pourquoi?»

«Jane m'a dit qu'elles étaient amies.» Je m'appliquai à enlever le germe d'une pomme de terre. «Mais Madame De Flores s'est comportée avec moi comme si elle ne souhaitait même pas me voir chez elle. Jane l'a remarqué aussi, je ne l'ai donc pas inventé.»

«Oh, ne sois pas bête, Tallahassee. Linda est très aimable.» Tante Thelma posa la viande dans une poêle, sans me regarder.

«C'est le nom de Madame De Flores - Linda?»

Tante Thelma hocha la tête. «Mais pour toi, elle s'appelle Madame De Flores.»

«J'ai toujours appelé les amis de Liz par leur prénom.»

«Peut-être est-ce ainsi que l'on fait en Floride. Ici ce serait un manque de respect.»

«Mais étaient-elles amies?» insistai-je. «Elle paraît tellement plus vieille que Liz, plutôt de ton âge.»

Tante Thelma me lança à nouveau un regard. «Les femmes de trente ans ne veulent pas toutes avoir l'air d'adolescentes.»

Je savais qu'elle avait tort sur ce point, mais au lieu de le lui dire, je lui demandai si Liz et Madame De Flores s'étaient querellées ou quelque chose comme ça.

«Je te l'ai dit, Tallahassee, je ne me souviens pas.» Tante Thelma me tourna le dos pour remplir une casserole d'eau et la poser sur la cuisinière. «Coupe les pommes de terre en quatre et jette-les dans l'eau dès qu'elle bout.»

«Mais tu dois te souvenir.» Je commençai à tailler les pommes de terre à grands coups de couteau. «C'était il n'y a pas si longtemps.»

« Est-ce que tu peux parler d'autre chose, Talla-hassee?» Tante Thelma prit une cuillère et commença à remuer la viande dans la poêle, une expression de mécontentement autour des lèvres. «Ce qui a pu se passer entre ta mère et Linda De Flores ne regarde qu'elles-mêmes, et pas toi.»

Jetant les pommes de terre dans l'eau bouillante, je quittai la cuisine dans un mouvement d'indignation, et Fritzi, comme d'habitude, me montra les dents. «Tu as mauvaise haleine», lui chuchotai-je. «Et tu sens mauvais de partout.»

CHAPITRE 8

Jane et moi allâmes ensemble à l'école tous les matins de la semaine. Et tous les après-midi nous revînmes ensemble. Après avoir regardé le courrier, nous allions généralement chez Jane, parce que Madame De Flores ne voulait pas l'autoriser à jouer chez Oncle Dan tant que Tante Thelma n'était pas rentrée.

Malheureusement, Madame De Flores ne devint pas plus gentille. Si elle avait été de mauvaise humeur la première fois que je l'avais vue, il faut croire que cette humeur ne l'avait jamais quittée. Du moins lorsque j'étais dans les parages.

Parfois Jane essayait de rendre sa mère plus aimable avec moi. Elle disait des choses comme : «Est-ce que tu as déjà vu quelqu'un avec plus de taches de rousseur que Tallahassee?» et Madame De Flores demandait à Jane quand elle allait faire son travail d'école. Ou bien Jane brandissait l'un des dessins que j'avais faits en classe et disait : «Regarde comme Tallahassee est une grande artiste», et Madame De Flores disait: «Tu es très artiste toi-même, Jane.»

Finalement, Jane abandonna la partie et nous allâmes directement à sa chambre, évitant Suzanne, pour jouer au jeu des indices ou au Monopoly. S'il m'arrivait d'oublier l'heure, cependant, Madame De Flores criait dans l'escalier: «Tallahassee, ta tante est rentrée.» C'était sa façon de me dire de partir.

Après avoir passé deux semaines à Hyattsdale sans aucune nouvelle de Liz, je commençai à être désespérée. Où était-elle? Et si elle avait eu un accident? Bob m'avait emmenée une fois sur sa moto, et je n'avais pas été très convaincue par sa façon de conduire. Tout cela m'amenait à penser que Liz était étendue morte, en plein désert, ou quelque chose comme ça.

Bien sûr, Tante Thelma pensais que j'étais idiote. «Le courrier est lent, Tallahassee», disait-elle. «Une lettre met beaucoup de temps pour aller de l'ouest à ici.»

Oncle Dan était beaucoup plus compréhensif. Il me donna une grande carte routière et m'aida à imaginer le parcours que Liz avait probablement suivi. Je découpai une petite silhouette de moto avec deux personnes dessus, que j'avais dessinée, sans oublier les casques, et m'amusai à la déplacer le long des lignes rouges de l'autoroute qui traversait les différents États.

«Oh, Bob», faisais-je dire à Liz. «Quand allons-nous croiser un bureau de poste? Pauvre Talley, j'ai toutes ces cartes postales pour elle et même pas de timbres.»

Et le voleur de mère disait: «Désolé, Liz. Pas le temps de s'arrêter maintenant. Il faut continuer de rouler jusqu'à ce qu'on arrive à Hollywood.»

Vroum, vroum, vra vra vra-voum! Sans cesse, la moto roulait, et Liz, accrochée à Bob, criait: «Je t'en supplie, laisse-moi acheter des timbres, Bob, je t'en supplie!»

Le soir, je parlais à Mélanie, et cela me faisait toujours du bien. «Ne te fais pas de souci», disait-elle de sa petite voix aiguë, «Liz va t'envoyer bientôt le billet. Et après tu ne verras plus jamais Tante Thelma.»

Un soir, alors que nous étions à table pour le dîner, Tante Thelma dénonça sans aménité ma mélancolie. Elle déclara que je devrais essayer de penser aux autres plutôt qu'à moi-même.

«Après tout», dit-elle, «tu as un toit au-dessus de la tête et trois repas par jour. C'est plus que ce qu'ont d'autres enfants.» Montrant mon assiette avec sa fourchette, elle ajouta: «Mange tes spaghettis. Tu as bien besoin de mettre un peu de viande sur ces os. Est-ce que tu veux rester petite et maigre toute ta vie?»

Je remuai vaguement ce qu'il y avait dans mon assiette et tentai d'avaler la sauce à la viande sans toucher aux pâtes. «Je n'aime pas les spaghettis», dis-je.

Tante Thelma fronça les sourcils, mais la sonnerie du téléphone retentit avant qu'elle ait pu en arriver à son sujet préféré, l'importance du nettoyage de l'assiette. «C'est sans doute un représentant de commerce», dit-elle en allant à la cuisine pour répondre. «Ils appellent toujours au moment le moins opportun.»

Je remuais toujours mes spaghettis, lorsque j'entendis Tante Thelma dire: «Eh bien, il est temps que tu appelles. Quelqu'un s'est fait beaucoup de souci à ton sujet.»

Bondissant de ma chaise, je courus à la cuisine. Tante Thelma disait: «Oui, tu peux lui parler, mais j'ai quelque chose à te dire avant que tu ne raccroches.»

Mon cœur battait si fort qu'il me semblait que j'aurais pu mourir d'un arrêt cardiaque. «Liz, Liz!» hurlai-je dans le combiné.

«Talley, chérie, comment vas-tu?» A l'entendre,

on aurait dit que Liz appelait de l'autre côté de la rue.

«Je vais bien, mais pourquoi tu ne m'as pas écrit? Tu m'avais promis d'écrire tous les jours!» criai-je.

«Je suis désolée, Talley, mais tu me connais. J'ai toujours envie d'écrire et puis après j'oublie.»

«Est-ce que tu vas envoyer le billet bientôt?»

« Oh, chérie, les choses ne se présentent pas exactement telles que Bob et moi nous les imaginions. Nous n'avons même pas un endroit correct pour vivre, juste une chambre dans un motel, ma douce.»

Elle se tut, probablement pour allumer une cigarette. «Bob a trouvé un boulot dans une malheureuse petite boutique de photos, et je dessers les tables à *La Grosse Carotte*, mais nous cherchons activement quelque chose de mieux, pour que tu puisses venir ici avec nous. Tu nous manques tellement, Talley, vraiment tu nous manques, mais nous ne pouvons pas te faire venir maintenant.»

« Et le cinéma, Liz, où ça en est? Et ces gens que Bob connaît, ceux qui devaient t'aider à démarrer?» Je me mordis les lèvres pour essayer de ne pas pleurer. Qu'est-ce qu'elle fabriquait à servir dans un restaurant? Elle n'avait pas besoin de faire tout ce voyage jusqu'en Californie pour être serveuse.

«Ça prend du temps, chérie, pour entrer dans le

milieu, mais je m'en occupe. Et les amis de Bob sont certains que je vais y arriver. Il faut juste que je trouve le bon créneau.»

«Mais est-ce que je peux venir tout de suite?» Je serrai le combiné de toutes mes forces et chuchotai: «Je ne supporte pas d'être ici, Liz. Tante Thelma me déteste. Elle ne me laisse rien faire. Je ne peux même pas rester tard pour regarder la télé.» Je reniflai très fort et essayai de ne pas hausser la voix, mais je sentais qu'elle enflait comme un bourdonnement de moustique.

«Ça m'est égal si c'est juste un motel, Liz», dis-je d'une voix d'enfant. «Je dormirai par terre et je ne gênerai personne. Tu ne te rendras même pas compte que je suis là. Envoie-moi seulement le billet, s'il te plaît, Liz, s'il te plaît!»

«Tallahassee, calme-toi!» Liz avait l'air contrariée. «Je ne suis pas en état de supporter un choc émotif en ce moment. Je t'ai dit que je ne pouvais pas te prendre avec moi pour l'instant, et il va falloir que tu l'admettes.»

«Je vois que je ne te manque pas du tout!» J'étais en colère à présent. «Je parie même que tu ne penses jamais à moi!» hurlai-je. «Je suis sûre que tu vas à la plage tous les jours pour faire de la planche et nager et rester allongée sur le sable, pendant que moi, je me gèle au Maryland. Le plus probable c'est que je vais attraper une pneumonie et en crever, et toi, tu ne seras même pas là pour mon enterrement!»

«Ne sois pas bête, Talley! Tu n'es qu'une enfant et tu n'as aucune idée de ce que c'est qu'être adulte et devoir gagner sa vie et se faire sans arrêt du souci pour des choses importantes comme acheter de la nourriture et payer le loyer, qui est élevé même dans cet endroit miteux. Ce n'est pas comme si je t'avais laissée avec des étrangers ou quelque chose comme ça. Tu es avec ton oncle, dans la maison où j'ai grandi.»

«Tu détestais cette maison, et moi aussi! Si tu ne viens pas me chercher bientôt, je ferai exactement comme toi – je me sauverai!»

«Tu n'as pas honte de me parler comme ça? Tu resteras à Hyattsdale jusqu'à ce que je vienne te chercher!»

«Et ce sera quand?»

«Donne-moi un mois de plus, ou deux. Ce n'est pas si long, Talley.» La voix de Liz s'adoucissait un peu et devenait implorante.

«C'est une éternité!» Je levai les yeux sur Tante Thelma qui arrivait.

«Laisse-moi lui parler quand tu auras fini», dit-elle.

«Tante Thelma veut te parler», dis-je à Liz.

«Ecoute, ma douce, je ne peux pas rester plus longtemps au téléphone. Ça me coûte vraiment trop cher. Dis-lui que je la remercie de s'occuper de toi et embrasse Dan pour moi. D'accord?»

Avant que j'aie pu dire encore un mot, il y eut un clic, et Liz disparut.

Comme j'allais poser violemment le combiné, Tante Thelma l'attrapa au vol. «Elle n'a pas raccroché tout de même, hein?» Dans le combiné elle s'écria: «Liz? Liz?» Puis elle se tourna vers moi. «Tu ne lui as pas dit que je voulais lui parler?»

«Elle a dit que ca lui coûterait trop cher de parler plus longtemps», hurlai-je. Je me glissai sous le bras de ma tante, quittai la cuisine en courant et retournai à ma chambre précipitamment.

«Elle ne m'envoie pas de billet», dis-je à Mélanie en pleurant. «Pas avant très, très longtemps. Et elle n'est pas encore star de cinéma. Elle n'est que serveuse, comme en Floride.»

«Pauvre Tallahassee», soupira Mélanie. «Mais ne t'en fais pas. Peut-être que Richard Gere, un jour, va venir déjeuner à *La Grosse Carotte,* et qu'il va voir

Liz, et il décrétera qu'elle est exactement la personne qu'il cherche. Alors, avant qu'on ait le temps de rien y comprendre, toi et moi on se retrouvera en Californie, allongées sur une plage, avec Liz, et nous vivrons heureuses ensemble, pour toujours.»

Je pris Mélanie dans mes bras et imaginai Richard Gere entrant à *La Grosse Carotte*. Liz lui demanderait s'il voulait un spécial, et lui, il dirait : «Je crois que c'est vous que je voudrais, plutôt», et il sortirait de *La Grosse Carotte* avec elle et l'emmènerait, exactement comme il avait fait avec Debra Winger à la fin d'*Officier et gentleman*. «Vous allez venir au studio avec moi», dirait-il, et, du jour au lendemain, Liz deviendrait une star, et je partirais pour la Californie.

CHAPITRE 9

La semaine suivante, Dawn et ses amies nous rejoignirent, Jane et moi, pour le déjeuner. «Je pensais que tu serais en Californie, à l'heure actuelle.» Dawn aspira une gorgée de lait au chocolat et me regarda dans les yeux.

«En fait», dis-je, «ils ont des problèmes avec le scénario. Ils revoient des tas de scènes, et pour les Caraïbes, c'est remis à plus tard. C'est pour ça que Liz n'est pas venue me chercher. Mais les choses ne vont pas tarder maintenant. Vous savez comment c'est, à Hollywood.»

«Ce n'est pas facile d'être une star de cinéma», ajouta Jane, bonne amie. «J'ai vu Meryl Streep une fois à *Bonjour l'Amérique*, elle disait que votre vie personnelle en souffrait énormément et que vous deviez faire de très gros sacrifices.»

Dawn hocha la tête. « Ça doit quand même valoir la peine d'être star.»

Terri acquiesça. «Ils ont des masses d'argent et des grandes maisons et des voitures fantastiques. Ils roulent tous en Mercedes ou en Jaguar.»

«C'est pour ça que ça vaut la peine d'attendre», dit Karen, en me regardant par-dessus son sandwich au thon. «Si tout ça est vrai.» Elle et Dawn échangèrent un bref regard.

«Qu'est-ce que tu veux dire?» demandai-je.

Karen se pencha vers moi, oubliant son sandwich. «Moi et Dawn, on lit des tas de magazines, et on n'a vu nulle part que Richard Gere jouerait dans un film qui s'appellerait *L'Île.*»

«C'est parce que c'est top secret, bêtasse.» Je lui lançai un regard furieux, mais j'avais l'horrible sentiment que Dawn et elle avaient décidé que je mentais à propos de Liz.

«Tu n'y connais rien à Hollywood, Karen», dit Jane froidement, «alors n'essaye pas de discuter avec quelqu'un qui s'y connaît.»

Karen souleva son plateau. «Je ne reste pas à côté de quelqu'un qui m'appelle bêtasse.» Elle se leva, et Dawn et Terri la suivirent dans la cafétéria.

Furieuse, je les regardai s'agglutiner à une autre table. Elles riaient maintenant, et nous regardaient, Jane et moi.

« Snobs et prétentieuses », marmonnai-je.

« Ne les laisse pas t'embêter », dit Jane. « Qu'est-ce qu'elles savent ? »

Pour ne rien arranger, j'eus des problèmes avec Madame Duffy, cet après-midi-là. Elle était déjà très mécontente parce que je n'avais pas rendu le devoir de maths à faire chez soi. Ensuite j'avais eu une mauvaise note à l'interrogation d'orthographe, et je n'avais pas su en quelle année la Guerre civile avait commencé. Elle explosa vraiment quand elle me surprit en train de lire *Le Grand National* pendant l'étude de l'actualité. Elle me demanda de me lever et de le dire à toute la classe, puis elle me retint au moment où j'allais partir pour me dire que j'avais tout intérêt à faire des efforts pour mon travail à la maison.

« Quand tu es arrivée », dit Madame Duffy, « je ne pensais pas que tu resterais suffisamment longtemps pour que j'aie à me soucier de tes progrès, mais à présent, tu ferais bien de commencer à te concentrer et cesser de rêver en regardant par la fenêtre. Tu ne veux pas redoubler, n'est-ce pas ? »

Bien sûr que non. Ni que Madame Duffy demande à ma tante et à mon oncle ce rendez-vous dont elle m'avait déjà menacée. Je promis donc de travailler plus sérieusement.

«Je l'espère, Tallahassee.» Madame Duffy alors me sourit. «Tu es une petite fille bien. Il n'y a aucune raison pour que tu travailles mal.»

Elle s'arrêta de parler, et je commençais à me lever, pensant qu'elle en avait fini. Jane était dehors à m'attendre, et je ne voulais pas qu'elle meure de froid.

«Encore un instant», ajouta Madame Duffy. «Est-ce qu'il y a quelque chose qui te tracasse et dont tu voudrais me parler?»

Je tripotai mes livres pour ne pas avoir à la regarder.

«Non, M'dame», dis-je.

«Je sais que ta mère doit te manquer», dit gentiment l'institutrice.

Je tiraillai la fermeture Éclair de mon anorak, honteuse à l'idée même de lui raconter combien j'avais peur que ma mère m'ait tout simplement abandonnée devant la maison d'Oncle Dan, comme elle l'aurait fait d'un chat dont elle ne voulait plus. «Elle va bientôt m'envoyer un billet d'avion», dis-je à Madame Duffy, pour qu'elle ne se fasse pas de souci pour moi.

«J'ai entendu dire qu'elle jouait dans un film», dit Madame Duffy. «Tu dois être très fière d'elle.»

Je hochai la tête sans la regarder. « Je peux y aller maintenant ? » lui demandai-je. « Jane m'attend. »

« Oui, bien sûr, Tallahassee. » Madame Duffy me prit à l'épaule. « Plus de lecture sous la table, n'est-ce pas ? » me rappela-t-elle. « Et s'il te plaît, rends à temps tes devoirs faits à la maison. »

« Oui, m'dame. » Je quittai la salle en courant et trouvai Jane qui m'attendait dehors sur les marches.

« Elle était mauvaise ? » demanda-t-elle.

Je secouai la tête. « Non, elle veut seulement que je fasse mes devoirs à la maison et tout le reste. »

Comme nous traversions la rue, j'interrogeai Jane sur Meryl Streep. « Est-ce qu'elle a abandonné sa fille un jour, ou quelque chose comme ça ? »

Le vent soulevait les cheveux de Jane tout autour de son visage, son nez et ses joues étaient rouges. « Je ne crois pas que Meryl Streep ait une fille », dit-elle.

Comme je ne disais rien, Jane ralentit un peu sa marche. « Est-ce que tu te fais du souci pour Liz ? » demanda-t-elle avec douceur.

Je haussai les épaules et enfonçai les mains plus profondément encore dans mes poches de veste. Le vent traversait mes vêtements comme un couteau et j'avais l'impression que plus jamais je n'aurais chaud. Même pas en été.

«Parfois je me dis que je ne lui manque pas beaucoup», dis-je sans cesser de fixer des yeux le trottoir fissuré et cabossé.

«C'est ta mère, Talley. Bien sûr que tu lui manques!» Jane avait l'air choquée.

«Oh, Jane», soupirai-je. «Tu ne peux pas savoir. Liz est tellement différente de ta mère.» Je lui jetai un coup d'œil et me demandai comment présenter Liz à quelqu'un qui avait toujours vécu dans la même maison, avec ses deux parents. Elle avait des frères et des sœurs et des grands-mères et des grands-pères et des oncles et des tantes et des douzaines de cousins.

Et Madame De Flores restait à la maison toute la journée et s'occupait de ses enfants et faisait la cuisine et la lessive et portait des pantalons en nylon, comme Tante Thelma, et se faisait faire des permanentes dans un salon de coiffure. Elle ne ferait même pas le tour du pâté de maisons à moto, ne partirait pas seule pour la Californie. Elle ne voulait pas être star de cinéma. Ou chanteuse. Pour autant que je sache, elle ne voulait être qu'une personne ordinaire, comme tout le monde.

Aussi peu aimable que fût Madame De Flores, Jane, d'une certaine façon, avait de la chance, me disais-je. Quand elle était sur le seuil de sa maison, elle savait que sa mère serait dans la cuisine, donnant à manger au bébé ou préparant le dîner.

«Je pense que ça doit être formidable d'avoir une mère comme Liz», disait Jane, interrompant le cours de mes pensées. «Une star de cinéma en chair et en os. Penses-y seulement, quand elle t'aura envoyé ce billet, elle viendra peut-être te chercher à l'aéroport avec Richard Gere.»

«A ce moment-là, ce sera peut-être un vieillard», marmonnai-je.

«Ne sois pas bête.» Jane se tourna vers moi. «Sais-tu ce que fait ma mère en ce moment?» Jane donna un coup de pied dans une pierre avec une telle force qu'elle vola dans l'air, rebondit sur le trottoir devant nous, et manqua de peu un chat noir efflanqué.

«Elle colle du papier dans la salle de bains pour la troisième fois au moins. C'est son idée du bonheur, c'est ce qui l'excite. Mon père dit qu'il n'est jamais sûr d'être dans la bonne maison, parce qu'elle change sans cesse la décoration et déplace tous les meubles.»

«Mais au moins tu sais où elle est, Jane.» Je me penchai et appelai le chat. «Viens, petit, petit, petit.»

Il tourna autour de mes jambes en ronronnant et je le caressai. Il me rappelait mon vieux chat Bilbo, et je me demandai tristement ce que celui-ci avait bien pu devenir. «Je me souviens de toi», pensai-je, revoyant ses grands yeux verts, sa fourrure noire et brillante, «même si je suis la seule. Et tu me manques.»

« Quand je serai grande», dit Jane à voix forte, «je mènerai une vie passionnante, comme Liz. Je ne resterai pas à la maison toute la journée pour coller du papier aux murs des salles de bains.»

«Alors, ne fais pas d'enfants, Jane.» J'observai le chat qui se secouait doucement et s'éloignait, tordant la queue, la tête haute.

«Liz t'a faite, toi.» Jane sauta en l'air et s'agrippa à une branche d'arbre qui pendait au-dessus du trottoir. Elle se souleva à la force des bras, puis se laissa retomber par terre.

«Beaucoup de stars de cinéma ont des enfants», continua-t-elle, un peu hors d'haleine, «et elles ne se marient pas, exactement comme Liz. Et elles ont quand même des vies passionnantes.»

«Tu ne devrais pas croire tout ce que tu lis dans *People* et dans tous ces magazines.» J'attrapai la branche à mon tour et me soulevai cinq fois de suite sans jamais toucher terre. Je savais que j'allais devenir folle si Jane n'arrêtait pas avec ses stars de cinéma et leurs vies passionnantes.

«Tu es vraiment de mauvaise humeur aujourd'hui», dit Jane. «C'est à cause de Dawn et Karen. »

«On fait la course d'ici à la maison d'Oncle Dan. » Je commençai à courir avant même qu'elle ait eu le temps de dire oui ou non.

Les grandes vieilles maisons de la rue Oglethorpe fuyaient derrière moi, j'entendais Jane qui me criait de ralentir, mais je ne pouvais pas m'arrêter. Quelques secondes, je crus que je pourrais courir sans jamais m'arrêter jusqu'en Californie, et arriver même avant la nuit.

CHAPITRE 10

Un après-midi, sous un ciel sombre, Jane et moi revenions à la maison d'un pas lourd. C'était presque la fin du mois de mars, mais, à part un crocus solitaire qui pointait par-ci par-là, rien n'annonçait vraiment le printemps. Le vent était toujours froid, l'herbe brune et boueuse parsemée de flaques d'eau, et la pluie pendait en énormes gouttes aux branches nues, avant de tomber lentement au sol. Quelques petits oiseaux gris – des passereaux, je pense – se serraient les uns contre les autres sur les lignes de téléphone, leurs plumes gonflées pour se tenir chaud. Ils faisaient entendre un petit bruit triste, comme une respiration pénible, qui ne ressemblait en rien à un chant.

«Tu veux venir un peu?» demanda Jane lorsque nous arrivâmes près de chez elle.

«Est-ce que ta mère est toujours en colère pour samedi dernier?» Je regardai Jane, un peu gênée. Madame De Flores avait grondé Jane parce que nous étions allées au parc sans la prévenir et étions rentrées les pieds mouillés, les jeans pleins de boue.

«Je ne crois pas.» Jane n'en avait pas l'air très sûre, mais elle ajouta: «Nous pourrions monter directement. J'ai quelque chose à te montrer.»

Dès que nous fûmes en sûreté dans sa chambre, la porte fermée, Jane sortit un vieil album de photos de sous son lit. «J'ai trouvé ça hier soir en cherchant un dictionnaire. Voyons si tu devines qui sont ces gens.»

Elle prit l'album et le posa, grand ouvert, sur ses genoux. La première photo montrait deux petites filles, plissant les yeux au soleil. Elles tenaient des poupées dans les bras, mais leurs visages étaient trop éclairés pour que l'on pût vraiment bien les voir. Dessous, quelqu'un avait écrit: «Linda et Liz, Noël 1961.»

«C'est ma mère?» Je regardai fixement le petit visage, fascinée.

«Est-ce qu'elle n'est pas mignonne? Regarde ces grandes nattes.» Jane sourit à la petite Liz, puis tapa sur le visage de sa mère. «Elle est plutôt boulotte, tu ne trouves pas?» Elle se gonfla les joues et éclata de rire.

Jane feuilletait rapidement l'album, faisant défiler une à une les pages toutes pleines de très vieilles photos de la famille De Flores, à Noël, à Pâques, à la Toussaint, avec par-ci par-là Liz sur l'une d'elles.

« La voici quand elle avait ton âge. » Jane s'arrêta sur la première bonne photo de Liz qu'elle trouva. Elle était debout, à côté de Madame De Flores, sur les premières marches de la maison de Jane, adressant un sourire forcé à l'appareil, la tête penchée d'un côté, ses cheveux, tirant sur le roux, pendant librement en longues vagues. Elle portait des jeans à pattes d'éléphant et un T-shirt délavé. Madame De Flores, plus petite et plus ronde que Liz, était habillée à peu près pareil.

« Tu ne trouves pas qu'elles ont l'air drôles ? On dirait comme des hippies. » Jane riait. « Je suis sûre qu'elles se croyaient supercool. »

Je ne répondis pas. Je regardai Liz fixement, j'aurais tant aimé lui ressembler. Elle n'avait pas de dents de lapin, comme moi, et elle n'avait pas d'affreux cheveux rouges. Même lorsqu'elle avait douze ans, Liz était belle.

Jane tira sur la page que je retenais. « Attends de voir les suivantes », dit-elle. « Tu vas mourir de rire. »

Jane avait raison. Lorsque Liz et Madame De Flores apparurent à nouveau ensemble, c'étaient des adolescentes. Là, devant nos yeux, on pouvait les voir changer. Liz restait grande et mince, mais Madame De Flores commençait à devenir un peu grosse. Elle portait un pantalon à pattes d'éléphant, mais ses cheveux n'étaient pas aussi longs que ceux de Liz, et elle ne s'attachait pas de foulard indien autour de la tête.

«Ta mère était vraiment belle comme une fleur, n'est-ce pas?» dit Jane. «Mon père m'a raconté qu'il aimait bien se moquer d'elle et la traiter de hippie; il l'appelait la Joan Baez de Hyattsdale parce qu'elle jouait de la guitare et chantait du folk.»

«Qui c'est celui-là?» Je montrai du doigt un grand adolescent aux longs cheveux roux. Sur la plupart des photos, il tenait Madame De Flores par le bras, mais donnait souvent l'impression de sourire à Liz. «Ce n'est pas ton père.»

«Non.» Jane regardait attentivement le visage du garçon. «Il a dû être le petit ami de Maman.» Elle avait l'air troublée. «J'ai toujours cru que Papa était le premier garçon avec qui elle était sortie.» Elle pencha son visage au-dessus de la photo. «C'est Liz qu'il regarde, n'est-ce pas? Et elle le regarde aussi.»

Je fis signe que oui et tournai la dernière page. Il n'y avait qu'une seule photo sur celle-ci – une photo de classe, j'imagine – comme celles qu'on voit dans les livres d'or de l'année. C'était le même garçon aux cheveux roux, celui avec les grandes dents que j'avais vu sur tous les autres clichés. En bas de la photo, il avait écrit: «A Linda, avec toute mon affection, Johnny.»

«Est-ce qu'il te rappelle quelqu'un?» chuchotai-je.

Jane retint son souffle. «Il te ressemble, Tallahassee!»

Nous nous regardâmes, puis à nouveau Johnny. Mon cœur battait tellement vite qu'il me semblait qu'il allait s'envoler par ma bouche. Si ce que je pensais se révélait vrai, il n'y avait plus lieu de se demander pourquoi Madame De Flores ne m'aimait pas, non plus que Liz.

«Est-ce que tu peux arriver à savoir quelque chose sur lui? Comme son nom de famille ou autre chose?» demandai-je à Jane.

En réponse, elle tendit à nouveau le bras sous son lit et en retira un livre d'or du lycée du Nord-Est. Tournant les pages jusqu'à la classe de terminale, elle en examina tous les visages jusqu'à ce que nous le trouvions. «John Randolph Russell», lut Jane, «Rouges – Club Gymkhana – Ambition: Voir le monde.»

Alors nous nous assîmes par terre et nous regardâmes à nouveau. « Liz ne t'a jamais dit le nom de ton père, n'est-ce pas ? » demanda Jane.

Je regardai fixement les affreux cheveux rouges de Johnny, les taches de rousseur visibles même sur la photo, les grandes dents de devant. « La seule chose que je sache vraiment de mon père, c'est que je lui ressemble beaucoup. »

Nous reprîmes l'album et étudiâmes toutes les photos de Johnny. « A ton avis, qu'est-ce qu'il est devenu ? » Jane me regardait avec de grands yeux.

« Je ne sais pas, mais tu peux être sûre que je vais demander à Liz. » J'examinai le visage souriant de Johnny. Je trouvais qu'il avait l'air gentil, et drôle. Sur les vieilles photos en couleurs, il était tout le temps en train de faire le clown ou de prendre des expressions idiotes ; quelque fois il marchait sur les mains, d'autres fois il faisait le cochon pendu.

« Je peux avoir celle-ci ? » Ma main planait au-dessus du portrait dédicacé comme un oiseau de proie.

Jane secoua la tête. « Maman le remarquerait si tu prenais celle-ci. Prends un des instantanés plutôt. »

C'était un choix difficile, mais je me décidai finalement pour une photo de Johnny assis sur un mur. Il portait des bretelles rayées de toutes les couleurs, un T-shirt et un jean délavé. Il avait les pieds nus, sa longue chevelure se soulevait au vent, et il souriait comme si le soleil d'été n'allait jamais cesser de briller pour lui.

Au moment même où je glissais la photo dans ma poche, Madame De Flores ouvrit la porte. Je ne sais pas ce qu'elle avait à nous dire, mais lorsqu'elle vit l'album et le livre d'or, elle les arracha des mains de Jane, et son visage se mit à rougir.

«Qu'est-ce que tu fais avec ça?» demanda-t-elle.

«Je montrais juste à Tallahassee des photos de sa mère», dit Jane. «Je ne pensais pas que ça t'ennuierait.»

«Eh bien, ça m'ennuie.» Madame De Flores nous lançait des regards furieux, tout en serrant les livres sur sa poitrine. Elle quitta la chambre, puis s'arrêta sur le palier. «Oh, j'étais venue pour te dire que ta tante est rentrée, Tallahassee, tu peux donc filer tout de suite là-bas. Jane, toi, tu te mets à tes devoirs d'école.»

Nous restâmes une minute assises à écouter Madame De Flores descendre l'escalier. «Qu'est-ce qu'elle aurait dit, à ton avis, si tu l'avais questionnée sur Johnny?» demandai-je à Jane.

«J'aurais la trouille», dit Jane franchement. «Ça la mettrait hors d'elle, j'en suis certaine.»

Je me levai et commençai à enfiler mon anorak,

lorsque Suzanne vint coller sa tête dans l'encoignure de la porte.

«Tu dois rentrer chez toi», dit-elle, de sa voix habituelle de sale mioche. «Ma maman l'a dit.»

Je louchai en la regardant avant de descendre à toute vitesse les escaliers et de croiser Madame De Flores dans la cuisine. Elle ne prit même pas la peine de me dire au revoir.

Chez Oncle Dan, je me précipitai vers la corbeille dans laquelle Tante Thelma posait toujours le courrier. Comme d'habitude, il n'y avait rien pour moi.

«Il est bien temps que tu rentres», dit Tante Thelma pour m'accueillir. «Mets le couvert, ensuite tu m'aideras à préparer la salade.»

Sans dire un mot, je lui tendis la photo de Johnny. «Tu le connais?»

Tante Thelma m'arracha la photo des mains. «Où est-ce que tu l'as eue?»

«Peu importe où je l'ai eue. Est-ce que tu le connais?» Je tentai de reprendre la photo, mais elle la tenait serrée, la scrutant du regard comme si elle voulait se rappeler chaque détail.

«Bien sûr que je le connais», dit-elle lentement. «C'est Johnny Russell. Il habitait juste au coin de la rue, dans l'avenue 41. J'ai fait du baby-sitting pour lui. »

« Est-ce qu'il habite toujours là ? »

« Il a été tué au Vietnam », dit-elle doucement, « juste avant la fin de la guerre. »

J'avais le souffle coupé, mes jambes étaient toutes molles. « Il est mort ? » demandai-je dans un souffle.

Elle hocha la tête, regardant loin derrière moi comme s'il lui était possible d'apercevoir Johnny. « Son nom est sur le Monument aux morts de la guerre du Vietnam, à Washington. Ton oncle et moi sommes allés le voir. »

« C'est mon père, n'est-ce pas ? » Les mots sortaient bizarrement de ma bouche — secs et raides et un peu tremblants — mais je les en délogeai de force.

« Ton père ? » Tante Thelma posa la photo sur le comptoir, ouvrit un placard de la cuisine et commença d'en sortir tout ce dont elle avait besoin pour le dîner. « Qu'est-ce qui t'a donné cette idée ? »

« Regarde-le. » J'attrapai la photo et l'agitai devant elle. « Il est exactement comme moi. Mêmes cheveux, mêmes dents, mêmes tâches de rousseur ! C'est mon père, je sais que c'est mon père ! » Je hurlais à présent, et Fritzi se mit à aboyer, à tourner autour de mes pieds et à mordiller mes chaussures et mon jean.

« Ne crie pas comme ça ! » Tante Thelma jeta une

boîte de paprika sur le comptoir à côté du poulet qu'elle était en train de préparer.

«Alors dis-moi la vérité!» J'aurais voulu me jeter sur elle, la frapper, la forcer à être honnête avec moi.

«La vérité? Tu veux la vérité?» Le visage de Tante Thelma se mit à rougir. «Je ne sais absolument pas qui est ton père! Et je doute que ta propre mère le sache!»

L'espace d'une seconde, tout dans la cuisine parut se geler. Même Fritzi cessa d'aboyer, tandis que Tante Thelma et moi nous nous regardions dans les yeux. Lorsque enfin elle ouvrit la bouche pour dire quelque chose, je me sauvai de la cuisine et courus dans les escaliers jusqu'à ma chambre, serrant la photo de Johnny entre mes doigts.

CHAPITRE 11

Le matin suivant, tandis que nous allions à l'école, Jane et moi, je lui racontai ce que Tante Thelma avait dit à propos de Johnny, qu'il était mort au Vietnam. «Elle a affirmé aussi qu'elle ne savait pas qui était mon père», ajoutai-je, sans mentionner ce qu'elle avait dit sur Liz.

«Oh, Talley, c'est tellement triste.» Jane semblait au bord des larmes. «Il voulait voir le monde.»

«Eh bien, je suppose qu'il en a vu un bout», dis-je, refoulant mes larmes moi aussi, «mais pas le meilleur morceau.»

Nous arrivâmes à hauteur de l'avenue 41, je m'arrêtai une minute et considérai les grandes vieilles maisons perchées sur la colline, qui regardaient le parc. «Est-ce que tu crois que sa famille habite toujours là?» demandai-je à Jane.

«Madame Russell», dit-elle. «Pourquoi n'y ai-je pas pensé avant? Elle est sans doute la mère de Johnny!»

Jane montra du doigt le haut de la rue. «Tu vois cette grande maison, celle avec une tour? Elle habite juste là.»

«Juste Madame Russell? Toute seule?»

«Monsieur Russell est mort il y a longtemps», dit Jane. «Je ne lui ai jamais connu d'enfants, mais elle a un gros chien. Tu l'as sans doute déjà vue dans la rue avec lui.»

«Elle est bien vieille, avec des cheveux gris et un air assez strict? Et le chien est noir et blanc, à peu près de la taille d'un poney?»

Jane fit oui de la tête. «C'est elle. Parle jamais à personne, se contente de marcher le nez en l'air. C'était la prof d'anglais de ma mère, mais elle est à la retraite maintenant.»

«Mais Jane...» Je lui serrai le bras si fort qu'elle fit une grimace. «Si Johnny était mon père, elle est ma grand-mère! Ma grand-mère!»

«Mince alors, Madame Russell une grand-mère.» Jane secoua la tête. «Elle n'en a pas du tout le genre.»

«Tu ferais mieux de te dépêcher, Jane», hurlait Matthew, à quelques maisons de distance. «Tu vas être en retard! Toi aussi, la Panthère!»

«Allez, Talley.» Jane commença à courir. «Si on

est en retard encore une fois, Madame Duffy va nous donner une retenue!»

«Et alors?» dis-je, mais je me dépêchai de rattraper Jane. Encore un problème et Madame Duffy convoquerait ma tante et mon oncle à l'école. Tante Thelma me détestait déjà suffisamment. A mon avis, elle m'enverrait dans un pensionnat la prochaine fois que je ferais quelque chose qui la contrarierait.

Ce matin-là, au lieu de travailler à mon dossier sur l'Allemagne, je pensais à Madame Russell et à la façon dont je pourrais me présenter à elle. Comme l'avait dit Jane, elle n'était pas précisément ce qu'on pouvait appeler une personne chaleureuse, certainement pas la grand-mère type. Si le loup était venu chez elle, j'imagine qu'elle l'aurait fait déguerpir bien avant que le Petit Chaperon Rouge n'arrive.

Je décidai finalement que je ferais les cent pas devant la maison de Madame Russell jusqu'à ce qu'elle me remarque. Un regard attentif et elle courrait jusqu'au trottoir pour me prendre dans ses bras, pleurant de bonheur, ravie d'avoir trouvé sa petite-fille, unique et depuis toujours perdue.

Juste au moment où j'imaginais cette merveilleuse scène de rencontre, Madame Duffy annonça que c'était l'heure des arts plastiques, ma discipline préférée, la seule pour laquelle j'obtenais un A, excepté l'éducation physique.

Nous nous mîmes en rang et traversâmes le préau pour nous rendre à la salle d'arts plastiques. Jane et moi étions assises à côté l'une de l'autre, comme d'habitude. Je peignais une fille qui faisait de la planche. L'écume, au sommet de la vague, me paraissait parfaite, mais la fille elle-même n'était pas tout à fait réussie. Elle avait la tête trop grosse par rapport au corps ou quelque chose comme ça.

«Est-ce que c'est censé te représenter, toi, sur ta planche?»

Je levai les yeux, surprise de trouver Dawn debout à mes côtés. Elle et Terri et Karen ne m'avaient pas parlé depuis des semaines. Une fois, j'avais vu un mot que Dawn avait passé à Terri dans lequel elle disait que j'étais prétentieuse. «Elle pense que sa mère est extraordinaire. Et alors? Elle est toujours là, non?»

Dawn regardait attentivement la peinture. Je pouvais sentir son souffle sur ma main tellement elle était près.

«Non», dis-je, même si la fille avait les cheveux roux et que je m'étais imaginée être en Californie pendant que je la peignais. «Je l'ai inventée.»

«Tu es très forte pour inventer des choses, n'est-

113

ce pas?» Dawn me regardait droit dans les yeux. Nous étions presque nez à nez.

Je remarquai que Terri et Karen étaient juste derrière elle. Terri avait les mains dans le dos, comme si elle cachait quelque chose.

«Demande-lui», soufflait Terri à Dawn.

«Où en est ce film?» Dawn repoussa ses cheveux vers l'arrière, découvrant les petites boucles d'oreilles en émail qu'elle portait.

«Quel film?» Je me concentrai sur le ciel bleu que j'étais en train de peindre.

«Tu sais bien. Celui avec ta mère et Richard Gere.» Elle fit éclater son chewing-gum, m'envoyant des odeurs de raisin artificielles. «*L'Île*, ou je ne sais pas quel titre.»

«Ça va bien.» Je la regardai et fronçai les sourcils, piquée au vif, ce qui me fit dire: «Liz vient d'appeler pour dire qu'elle va venir me chercher bientôt. Ils ont un rôle pour moi, c'est sûr.»

«Vraiment.» Dawn regarda Terri et fit un signe de tête.

«Et ça, alors?» Terri agita devant moi le magazine *People* qu'elle tenait caché dans son dos. Richard Gere, sur la couverture, m'adressait un sourire narquois. «Il y a tout un article là-dedans sur lui et le nouveau film qu'il est en train de tourner avec Sissy Spacek. Il n'est nulle part question de ta mère ou d'un film sur une île!»

«Tu as tout inventé, n'est-ce pas?» Dawn fit éclater son chewing-gum et sourit d'un air affecté.

«Ta mère n'est pas du tout une star de cinéma», ajouta Terri, son visage si près du mien que je pouvais sentir son souffle.

«Ne me parlez pas comme ça!» Je posai mon pinceau et refermai les poings. J'avais sacrément envie de leur flanquer une raclée.

Dawn se pencha vers moi, et renversa le pot d'eau sur la table. Avant que j'aie eu le temps de retirer ma peinture, de l'eau grise et boueuse dégoulinait dessus, gâchant tout.

«Regarde ce que tu as fait!» Sans réfléchir, j'attrapai un pot de peinture bleue à la colle et le jetai à la figure de Dawn.

Dawn allait ouvrir la bouche pour hurler, lorsque Madame Duffy apparut. «Tallahassee!» dit-elle, fixant des yeux le pot de peinture que j'avais à la main. «Que se passe-t-il ici?»

«Regardez mon chemisier!» cria Dawn.

«Elle a complètement gâché ma peinture!» Je la tenais en l'air. La belle écume dégoulinait le long des

115

vagues, les cheveux roux de la fille s'étaient répandus dans tout le ciel, et tout était rayé de gris.

«Je ne l'ai pas fait exprès!» Dawn me lançait des regards furieux. De la peinture bleue lui coulait du nez et tombait goutte à goutte sur son menton. Cela faisait des rayures sur son chemisier blanc et lui colorait le bout des cheveux. Si je n'avais pas été aussi contrariée, j'en aurais ri.

Avant que Madame Duffy ait pu dire quoi que ce soit, Jane s'interposa. «C'est Dawn et Terri qui ont commencé! Elles ont traité Talley de menteuse, et ensuite Dawn a renversé de l'eau sur toute la peinture de Talley.»

«Toi, la ferme, occupe-toi de tes affaires», dit Dawn à Jane, le visage rouge de colère.

«On n'a rien fait du tout, Madame Duffy.» Terri prenait un air pincé. Dawn hocha la tête. «Tallahassee m'a envoyé de la peinture sans aucune raison.»

«Menteuse!» J'étais sur le point de lui lancer un autre pot de peinture, mais Madame Duffy m'attrapa par les épaules et me fit asseoir. «Nettoie la table, Tallahassee», dit-elle. «Et tu viendras me voir après la classe.»

«Et elle?» Je désignai Dawn du doigt, mais

voyant l'expression du visage de Madame Duffy, je me dirigeai vers l'évier pour prendre l'éponge.

«Oh, oh, oh!» rigolait David Spinks, comme je passais près de sa table. «Tu es bien embêtée maintenant, Tallahassee Higgins!»

Jane prit ma peinture. «Peut-être que quand ce sera sec, tu pourras la retoucher», dit-elle.

Je la lui pris des mains, la froissai, et la lançai dans la corbeille à papier. «Je ne veux plus jamais la voir», marmonnai-je en essuyant la peinture bleue et l'eau répandues sur la table.

Quand la cloche de trois heures et demie sonna, Jane me prévint qu'elle m'attendrait dehors sur les marches, et Dawn m'envoya un méchant sourire railleur par-dessus l'épaule, en quittant la classe. De mauvaise grâce, je m'assis près du bureau de Madame Duffy et me préparai à un long discours.

«Eh bien, Tallahassee», commença Madame Duffy, «voudrais-tu me dire pourquoi tu as envoyé de la peinture à Dawn?»

Je haussai les épaules et regardai mes tennis râpées. «Elle a gâché ma peinture», marmonnai-je.

«C'était sûrement un accident», dit Madame Duffy calmement.

«C'était la meilleure peinture que j'aie jamais faite.»

« Ce n'est pas une raison pour lancer un pot de peinture au visage de quiconque. » Elle fit une pause, attendant, je suppose, que je dise quelque chose d'autre. Comme je restai là, regardant seulement le trou dans ma chaussure, elle resserra une pile de papiers sur son bureau.

« Il est temps que je convoque ta tante et ton oncle pour parler avec eux », dit Madame Duffy.

Je la regardai une fois, puis recommençai à examiner mes chaussures. J'aurais voulu tout lui dire, mais comment aurait-elle pu comprendre mes problèmes avec Liz ? Ou ce que cela pouvait être de se demander, toute sa vie, qui était son père, pour découvrir finalement qu'il était mort.

Madame Duffy soupira. « Eh bien, puisque tu n'as rien d'autre à me dire, il vaudrait mieux que tu prennes une feuille de papier, nous allons réviser les leçons de maths de cette semaine. »

Quand j'eus fini de faire les vingt problèmes de maths, je me précipitai dehors et trouvai Jane assise sur les marches, qui m'attendait. Nous courûmes à travers le terrain de jeux, nous poursuivant jusqu'aux balançoires.

Je poussai très fort, essayant de m'éloigner du sol le plus possible, mais ralentis lorsque je vis que Jane s'était arrêtée. «Qu'est-ce qui ne va pas?» lui deman-dai-je.

«Talley, est-ce que Liz va vraiment jouer dans ce film?» Le vent faisait voler les cheveux de Jane et les lui envoyait dans les yeux, elle les repoussa en fron-çant des sourcils.

Je posai le pied dans le trou que des centaines de chaussures d'enfants avaient creusé sous la balançoire. Sans regarder Jane je demandai: «Et si je te disais non? Est-ce que tu ne serais plus mon amie?»

«Je serai toujours ton amie, Talley, quoi qu'il ar-rive.» La balançoire de Jane craqua, comme elle re-commençait à se lancer d'avant en arrière. «Je me de-mandais seulement, c'est tout.»

«Eh bien, non», dis-je, sur un ton que je savais enragé et désagréable. «Elle ne va jouer dans aucun film, je pense, et elle ne connaît pas Richard Gere ni qui que ce soit. Tout ce qu'elle fait, c'est de travailler dans un restaurant, qui s'appelle *La Grosse Carotte*.» Je recommençai à me balancer très fort pour que Jane ne me voie pas pleurer.

Jane ne répondit rien, mais elle recommença à se balancer elle aussi. Bientôt nous étions toutes les deux à voler d'avant en arrière et d'arrière en avant, Jane tout en haut quand j'étais tout en bas, et vice versa. Puis nous commençâmes à chanter cette chanson bête que nous avions apprise en musique, *Petite Cabane rouge*, jusqu'à en rire tellement fort que nous n'arrivions plus à pousser la balançoire.

Avant de rentrer, nous arpentâmes l'avenue 41, dans un sens et dans l'autre, tant de fois que j'en attrapai une ampoule au talon, mais nous ne vîmes pas Madame Russell. Pas une seule fois elle ne vint à la fenêtre pour observer sa propre petite-fille, usant ses chaussures devant sa maison.

Ce soir-là, Tante Thelma reçut deux coups de fil. Le premier était de Madame Duffy, et Tante Thelma était très en colère quand elle raccrocha. Elle ne pouvait pas comprendre pourquoi je me comportais si mal à l'école.

«Ce n'est pas comme si tu étais idiote», dit-elle. «Tu es paresseuse, c'est ce qui ne va pas chez toi. Exactement comme Liz, tu crois que le monde t'est redevable.»

Puis le téléphone sonna à nouveau, en plein milieu de notre dispute. Cette fois-ci c'était la mère de Dawn.

«Tu as complètement abîmé un chemisier de vingt-cinq dollars», dit Tante Thelma en raccrochant, «et Madame Harper veut que je la rembourse!»

«Elle a complètement abîmé la peinture que je faisais!»

«Une peinture?» Tante Thelma ouvrait de grands yeux. «Tu as abîmé une blouse qui valait cher à cause d'une peinture sans valeur?»

«Elle n'était pas sans valeur! C'était la meilleure peinture que j'aie jamais faite!» Mes yeux s'emplissaient de larmes au souvenir de cette fille aux cheveux roux qui descendait une vague parfaite sur sa planche de surf. «Tu sais que j'ai A en arts plastiques», ajoutai-je en pensant à la valeur qu'elle accordait aux notes.

«Arts plastiques et éducation physique», dit-elle avec mépris. «Les seules matières où tu réussis, et elles ne sont même pas importantes.»

«Elles le sont pour moi!» Je lui lançai un regard furieux, qu'elle me renvoya.

«Va dans ta chambre», dit Tante Thelma. «J'en ai assez entendu comme ça pour ce soir!»

Comme je traversais le salon, Oncle Dan leva les yeux. «Qu'est-ce qu'il se passe à présent?» Il avait été si absorbé par son match de basket à la télévision, qu'il en avait raté toute la scène.

«Rien», marmonnai-je, «rien du tout, excepté

que je déteste vivre ici!» Ma voix enfla, déchaînant une nouvelle série d'aboiements de Fritzi. «La ferme!» hurlai-je en direction de la chienne. «La ferme!»

«Oh, Talley.» Oncle Dan se leva et vint vers moi, mais je courus dans les escaliers jusqu'à ma chambre, laissant Fritzi aboyer en bas des marches.

Me jetant sur le lit, je serrai très fort Mélanie contre mon visage. «Il faut qu'on parte d'ici», lui dis-je. «Tous les jours ça empire.»

«Tu pourrais t'enfuir», dit Mélanie. «Tout comme Liz.»

«Peut-être bien que oui», murmurai-je. «Ils pensent que je suis exactement comme elle, n'est-ce pas? Donc je devrais faire la même chose qu'elle. Ce serait bien fait pour Tante Thelma.»

CHAPITRE 12

Deux jours plus tard, Tante Thelma, Oncle Dan et moi étions assis, côte à côte, dans ma classe. Madame Duffy débuta la rencontre par une présentation de mon niveau en maths, expliquant que j'avais au moins deux ans de retard par rapport à ma classe.

«Qu'est-ce que cela signifie?» Tante Thelma fronçait les sourcils en regardant Madame Duffy.

«Eh bien, cela signifie que Tallahassee est en réalité du niveau cours moyen première année. Elle ne connaît pas ses tables de multiplication, elle ne saisit pas les règles fondamentales des divisions à plusieurs chiffres, et sa connaissance des fractions est mal assurée. Elle aurait dû maîtriser ces connaissances avant d'entrer en sixième.»

Madame Duffy avait l'air de s'excuser comme si elle était plus ou moins responsable de mes faiblesses.

«C'est peut-être que les écoles de Floride ont un

cursus différent», ajouta-t-elle, l'air incertain, tout en déplaçant des papiers sur son bureau.

«Il est plus probable», dit Tante Thelma, «que Tallahassee n'a jamais été poussée à faire ses devoirs à la maison. Vous rendez-vous compte qu'elle a fréquenté au moins une demi-douzaine d'écoles élémentaires avant de venir ici?»

Madame Duffy hocha la tête. «J'ai vu son dossier.» Me souriant, elle ajouta: «Pour les techniques d'expression, c'est excellent. Ses lectures sont du niveau de terminale, et ses comptes rendus un vrai régal. Très originaux, intéressants, et en général magnifiquement illustrés. Elle a un grand talent artistique.»

Oncle Dan sourit. «Elle tient ça de sa mère. Liz pouvait dessiner n'importe quoi, particulièrement les chevaux.»

«Nous ne sommes pas ici pour parler de sa mère», dit Tante Thelma. Se tournant vers Madame Duffy, elle poursuivit: «Mais vous avez signalé qu'il y avait aussi des problèmes d'expression écrite.»

Madame Duffy fit oui de la tête. «Il y a beaucoup de devoirs que Tallahassee ne me rend pas. Et ceux qu'elle me remet sont souvent incomplets ou mauvais. Prenez par exemple son rapport sur un pays étranger, qui compte pour moitié dans la note en sciences sociales ce trimestre.»

Je me tortillai sur ma chaise, mal à l'aise, à la vue de ce rapport qu'elle passait à Tante Thelma. Il ne contenait que quelques paragraphes, copiés à la hâte dans une encyclopédie; mon stylo avait bavé, rendant mon écriture, déjà négligée, encore plus difficile à lire. Ma carte n'était pas terminée.

La seule chose de bien, c'était la couverture. J'avais dessiné un petit garçon allemand, en culotte de cuir, accompagnant un berger. C'était vraiment l'un de mes meilleurs dessins, et j'en étais fière. Cela ne suffisait pas, cependant, à sauver mon rapport, et je n'en voulais pas à Madame Duffy de m'avoir mis un F.

«Quand Tallahassee est arrivée à Magruder, je pensais qu'elle ne resterait que peu de temps avec nous», dit Madame Duffy à Tante Thelma. « Je ne l'ai pas poussée autant que j'aurais dû. Je comprends que sa mère lui manque, mais elle devra travailler plus sérieusement si elle veut entrer en cinquième l'année prochaine.»

Je baissai la tête, sentant mes joues rougir. Mon estomac se nouait et ma bouche devenait sèche. «Je peux refaire une sixième en Californie», marmonnai-je.

«Plutôt que de se laisser aller à cet espoir, Talla-hassee», dit Tante Thelma, «je crois que nous ferions mieux de voir ce que tu peux faire pour progresser.»

«Oui», aprouva Oncle Dan. «Qu'est-ce que nous pourrions faire pour que ça aille mieux?»

Fixant des yeux les carreaux de linoléum sur le sol, je les écoutai discuter de l'établissement d'un contrat. Cela semblait vraiment horrible – tous les soirs, je viendrais faire mon travail d'école, soit près de mon oncle, soit près de ma tante, qui seraient chargés de le superviser – mais pour passer, je devais m'y résoudre.

Lorsque nous quittâmes l'école, Tante Thelma me fit remarquer comme c'était gênant d'entendre tant de choses affreuses à mon propos. «Je ne te comprends pas, tout simplement», dit-elle. «Madame Duffy dit que tu es vive, que tu pourrais faire tout le travail facilement si tu le voulais bien. Mais à ce que je vois, tout cela t'est complètement égal!»

Je jouais avec la fermeture Éclair de mon sweat-shirt, faisant monter et descendre la glissière. C'était une belle journée, et j'aurais aimé être au parc, avec Jane, plutôt que prise au piège dans la voiture de Tante Thelma.

«Mais tu vois, Thelma», Oncle Dan me regarda

dans le rétroviseur et sourit, «tu as entendu Talley. Elle a signé le contrat. Elle n'a pas envie d'échouer et nous sommes tous d'accord là-dessus.»

Tournant la tête, je regardai par les vitres les maisons de Hyattsdale défiler tristement, adoucies à présent par un voile de minuscules bourgeons verts. C'était le mois d'avril. Où était Liz?

Le jour suivant fut un samedi, Jane et moi allâmes au parc. Nous étions sûres d'y voir Madame Russell avec son chien.

«J'irai la voir directement», dis-je à Jane, comme nous descendions l'avenue 41 et passions devant la maison de Madame Russell, «et je lui dirai qui je suis.»

«Vraiment?» Jane était impressionnée, c'était visible. «Ou tu pourrais sonner à sa porte tout de suite.» Elle s'arrêta, une main posée sur la grille de la maison.

Je considérai le chemin de briques qui traversait la pelouse et conduisait tout droit à la grande maison blanche, aux buissons bien taillés flanqués des deux côtés de l'escalier d'entrée, à la porte peinte en vert sombre, à la poignée de cuivre et au marteau de porte qui brillaient au soleil du matin. A part quelques oiseaux voletant autour d'une mangeoire qui pendait d'un cornouiller, rien ne bougeait.

«Je ne pense pas qu'elle soit chez elle», dis-je, espérant que Jane ne devinerait pas que j'avais peur de poser le pied au-delà de la grille en fer forgé.

«Sa voiture est là.» Jane montra du doigt une Buick brillante dans l'allée.

«Oui, mais elle est sûrement au parc.» Je m'éloignai en montant la colline, soudain effrayée à l'idée que Madame Russell pourrait remarquer que je traînais devant chez elle. Et si elle ne me reconnaissait pas?

Le parc était empli de familles. C'était le premier jour vraiment beau que je voyais dans cet État du Maryland, et je crois que tout le monde avait hâte de sortir. Jane et moi nous promenâmes un moment, puis nous fîmes de la balançoire et nous suspendîmes aux barres. Alors que j'étais accrochée la tête en bas, Jane se mit à hurler: «Elle est là, Talley!»

J'étais tellement stupéfaite que je manquai tomber droit sur la tête, mais réussis tout de même, en me tordant comme un chat, à en sortir indemne.

«Où?»

«Juste là, avec son chien. Tu vois?» Jane désignait du doigt l'autre côté du terrain de jeux. Pour sûr, elle était là, regardant ailleurs, pendant que son chien se soulageait sur l'herbe.

«Viens.» Jane descendit des barres en sautant et courut vers Madame Russell. Je la suivis, le cœur battant, la bouche sèche.

«Qu'est-ce que tu vas faire?» hurlai-je à Jane, mais elle ne voulut pas m'entendre et s'arrêta, en dérapant, devant Madame Russell.

« Bonjour Madame Russell.» Jane souriait de son plus beau sourire. «Connaissez-vous Tallahassee Higgins?»

Madame Russell secoua la tête. «Je ne crois pas.» Elle me lança un coup d'œil, sans s'intéresser plus à moi, apparemment, qu'à une fourmi traversant le trottoir.

« Vous avez sans doute connu sa mère», dit Jane, d'une voix encourageante. «Liz Higgins.»

«Liz Higgins?» Le nom de ma mère, lui, provoqua une réaction chez Madame Russell. Ses yeux d'abord s'élargirent, comme des lentilles d'appareil photo quand il n'y a pas assez de lumière, puis ils se rétrécirent à nouveau, tandis que son front se plissait. «Je ne savais pas que Liz avait un enfant.»

A mon désespoir, Madame Russell ne me prit pas dans ses bras. En vérité, elle ne me fit pas même un sourire. Ce qu'elle fit seulement, c'est froncer les sourcils.

«Talley est en visite chez son Oncle Dan», continua Jane, malgré l'incertitude qui perçait dans sa voix. «Liz est en Californie, où elle essaye de devenir une star de cinéma.»

«Est-ce vrai?» Madame Russell tira sur la laisse du chien pour l'éloigner de moi. «Assis, Bo.»

Bo s'assit, mais il continua d'agiter la queue frénétiquement. La tête penchée d'un côté, la langue pendante, il me faisait une grimace aimable. Contrairement à Fritzi, Bo m'aimait bien.

«Vous avez un chien vraiment gentil», dis-je, avec une certaine difficulté à parler à cause de la boule dans ma gorge, due à la déception. Pourquoi n'avait-elle pas remarqué à quel point je ressemblais à Johnny?

«Oui, il est très gentil.» Madame Russell sourit pour la première fois. «Un peu turbulent parfois, mais il n'a qu'un an. Il se calmera en grandissant.»

«Est-ce qu'il aime courir après les bâtons?» Je me souvenais du chien de Roger et des grands jeux que nous avions ensemble sur la plage. Bo m'y faisait un petit peu penser.

«Je suis sûre qu'il aimerait ça, s'il avait l'occasion de le faire.» Madame Russell gratta Bo derrière les oreilles. «Mais le règlement pour les chiens est tellement strict dans le parc, je n'ose pas le laisser aller librement.»

«Peut-être que je pourrais venir chez vous **un** jour pour lui lancer des bâtons», m'entendis-je dire. «Vous avez un très grand jardin.»

Madame Russell me regarda alors attentivement, et je souris, espérant qu'elle remarquerait mes grosses vieilles dents de lapin. «Je suis sûre que Bo aimerait cela», dit-elle lentement. Tirant sur la laisse du chien, elle se dirigea vers la rue. «Viens, Bo. C'est l'heure de rentrer.»

Je trottinai à ses côtés. «Est-ce que je pourrais tenir sa laisse un petit moment? Moi et Jane, on rentre à la maison aussi.»

Elle me tendit la laisse. «Ne le laisse pas partir en avant», dit-elle. «Je lui apprends à rester au talon.»

Nous marchâmes silencieusement pendant un moment. Une brise froide agitait nos vêtements et nos cheveux, et nous faisait trembler un peu. J'avais l'impression que l'hiver n'était pas tout à fait terminé, mais du moins les oiseaux chantaient-ils, au lieu de pousser des cris plaintifs, et les feuilles devenaient-elles plus grosses et plus vertes.

«Ma mère dit que vous étiez son professeur d'anglais», dit Jane.

Madame Russell hocha la tête. «J'ai été son professeur, ainsi qu'à Liz, à ta tante et à ton oncle», dit-elle en se tournant vers moi.

«Je parie que ma mère était l'un de vos plus mauvais élèves», dis-je, en tirant un petit coup sur la laisse de Bo pour lui rappeler qu'il devait rester au talon.

Madame Russell fit entendre un drôle de son, une sorte de rire aboyé. «Liz aurait pu être ma meilleure élève», dit-elle. «Mais elle était plus intéressée par d'autres choses. »

«Comme quoi?» Nous étions sur un terrain glissant, mais je n'avais jamais su tenir ma langue.

Elle secoua la tête. «Je sais que cela peut sembler de l'histoire ancienne, pour des filles de votre âge, mais j'ai été le professeur de Liz dans les années soixante-dix, et à cette époque, la plupart des jeunes étaient impliqués dans un mouvement de contestation, ils participaient à des manifestations et bien d'autres choses. Il était difficile de les convaincre de l'importance de Shakespeare. »

«Vous voulez dire que Liz était contre la guerre au Vietnam?» J'avais vu des photos de manifestations contre la guerre – des jeunes agitant des pancartes et plaçant des fleurs aux fusils et des choses comme ça, mais Liz n'avait jamais dit qu'elle avait participé à des manifestations. Pour différentes raisons, elle n'avait jamais été associée, dans mon esprit, à ces choses-là.

«Oh, oui», dit Madame Russell. «Liz détestait la guerre.»

«Et vous, vous ne la détestiez pas aussi?»

«Si, bien sûr.» Madame Russell me jeta un regard. «Empêche Bo de tirer sur la laisse», dit-elle doucement.

«Et ma mère?» demanda Jane, intervenant dans la conversation. «Est-ce qu'elle était contre la guerre?»

Madame Russell secoua la tête. «Linda n'était pas du genre à participer à des manifestations. C'était une des meilleures élèves. Des A dans toutes les matières.»

Jane soupira. «Elle aimerait bien que je sois comme elle. Sauf qu'elle voudrait que j'aille à l'université.»

«Elle-même aurait dû y aller.» Madame Russell fronça à nouveau les sourcils et accéléra le pas. «Tu ferais peut-être mieux de me donner la laisse maintenant, Tallahassee. Il faut que je m'arrête à la poste avant de rentrer à la maison.»

Je lui rendis Bo avec réticence. «Est-ce que je

peux venir la semaine prochaine après l'école pour jouer avec lui?»

«Si tu veux.» Elle nous fit un signe de la main et partit vers la rue Madison d'un pas rapide. Elle ne regarda pas en arrière, mais Bo, lui, se retourna.

«Eh bien», dis-je à Jane, «je pense qu'elle n'a pas réalisé qu'elle parlait à sa propre petite-fille.»

Jane secoua la tête et soupira. «Elle a été gentille, tout de même. Et elle t'a bien regardée quand je lui ai dit que tu étais la fille de Liz.»

«J'aurais peut-être dû marcher sur les mains ou faire la roue.»

Jane eut l'air décontenancée. «Qu'est-ce que ça aurait apporté de plus?»

«Tu ne te rappelles pas ce qui était écrit dans le livre d'or? Johnny faisait du gymkhana, et sur beaucoup de photos, il se tient sur les mains ou fait une acrobatie.» Je fis la roue. «Tu vois? Je suis très bonne en gymnastique, moi aussi.»

«Et si tu lui posais carrément des questions sur lui?»

«J'allais le faire, mais tu as détourné la conversation vers ta mère.» Je regardai Jane en fronçant les sourcils, puis arrachai une fleur d'une branche de forsythia, qui pendait au-dessus du trottoir. «Peut-être que quand j'irai chez elle pour jouer avec Bo, je lui dirai quelque chose. Quand nous serons juste toutes les deux. Elle et moi. »

CHAPITRE 13

Quand Jane et moi fûmes presque arrivées chez nous, elle me demanda si je voulais dîner chez elle. «Peut-être que ta tante t'autoriserait à rester même la soirée», dit-elle. «On pourrait veiller tard et regarder *Créatures* à la télé. Ce ne serait pas génial?»

«Est-ce que ta mère serait d'accord? Je ne suis pas vraiment sa préférée, tu le sais bien.»

«Attends ici, je vais lui demander.» Jane me laissa sur la dernière marche du seuil et se précipita chez elle.

Comme il faisait chaud, les portes de verre coulissantes étaient ouvertes, et je pouvais entendre tout ce que disait Jane.

Je pouvais aussi entendre Madame De Flores. «Non», disait-elle.

«Pourquoi non?» demandait Jane. «Tu fais des spaghettis, donc il y a beaucoup à manger.»

«J'ai dit non.»

«Mais je lui ai dit qu'elle pourrait rester la soirée et regarder *Créatures* et tout ça!» La voix de Jane prenait de la force.

«Sais-tu ce que *non* veut dire?» La voix de Madame De Flores devenait plus forte aussi, et j'espérai que Jane allait abandonner la partie et revenir dehors. Si elle continuait à discuter avec sa mère, elle finirait par se faire punir pour le reste du week-end.

«Mais tu as laissé Judy Atwood venir un soir!»

«C'était différent.»

«Qu'est-ce qui était différent?»

«Judy Atwood est une fille bien.»

Si j'avais eu un peu de bon sens, je me serais levée pour partir furtivement vers la maison d'Oncle Dan. Mais non, il me fallait rester là, pour écouter tout ce que Madame De Flores avait encore à dire.

«Tallahassee Higgins a eu une mauvaise influence sur toi dès le premier jour où elle est venue ici. Elle est aussi ordinaire que la saleté, c'est une menteuse et une faiseuse d'histoires. Je ne la veux pas chez moi!»

«Tais-toi donc!» hurlait Jane hors d'elle. «Elle est juste là, dehors!»

J'entendis un claquement sec et me crispai, sachant que Madame De Flores venait de frapper Jane.

«Cela m'est complètement égal qu'elle m'entende!» hurlait Madame De Flores. «Et ne me dis jamais plus de me taire!»

Je jetai un coup d'œil à la porte, pensant que Jane allait venir me voir, mais Madame De Flores l'arrêta. «Tu vas à ta chambre directement, ma chère, et tu n'en descends pas avant que je t'appelle. Et ne pense plus à ton dimanche. Tu resteras ici toute la journée et m'aideras à nettoyer la maison.»

Craignant que Madame De Flores ne sorte de la maison pour venir me crier après dans sa lancée, je sautai les marches et courus me faufiler par la haie. «Au revoir, la Panthère!» entendis-je Matthew crier de la maison.

A table, ce soir-là, je ne pus rien manger ou presque. Juste avant le repas, j'avais essayé d'appeler Jane, mais sa mère ne m'avait pas laissée lui parler. «Jane ne peut pas venir au téléphone», dit-elle. «Elle est punie.» Puis elle avait raccroché. Comme ça.

Tandis que j'étais là, à tripoter ma purée avec la fourchette, Oncle Dan me demanda si ça n'allait pas.

«Je n'ai pas faim», dis-je.

«Mange ton dîner avant qu'il refroidisse», dit tout de suite Tante Thelma.

Je secouai la tête et fixai des yeux la serviette sur mes genoux. Je pouvais entendre le bruit des mâchoires d'Oncle Dan, et le tic-tac de la pendule, et le remue-ménage de Fritzi dans la cuisine. «Je n'ai envie de rien.» Je repoussai mon assiette.

«Tu ferais peut-être mieux de te coucher, alors», dit Tante Thelma. «C'est là qu'on va quand on ne peut pas avaler son dîner.»

«Bien.» J'emportai mon assiette dans la cuisine, passant au large de Fritzi, et partis vers ma chambre, sans dire un mot de plus à Tante Thelma ni à Oncle Dan.

Au bout d'une heure ou deux, j'entendis quelqu'un monter l'escalier et frapper à ma porte. Reposant *Le Grand National,* que je lisais pour la seconde fois, je dis à Oncle Dan d'entrer.

Il me tendit une assiette avec une pomme et deux gâteaux secs. «J'ai pensé que tu aurais peut-être un peu faim maintenant», dit-il.

Je secouai la tête mais fus contente de le voir s'asseoir sur le bord de mon lit.

« Les choses ne vont pas très bien pour toi, n'est-ce pas?» demanda-t-il d'une voix douce.

J'arrachai une touffe de laine au couvre-lit. «Madame De Flores me déteste», lui dis-je. «Elle me considère comme une saleté et elle ne veut pas que je sois l'amie de Jane.»

Oncle Dan soupira, puis s'éclaircit la voix. «Où prends-tu ces idées, Tallahassee?» demanda-t-il.

«Je ne les prends nulle part.» Je le regardai avec colère. «J'ai entendu Madame De Flores parler de moi à Jane. C'est étonnant que tu ne l'aies pas entendue, toi aussi. Elle gueulait tellement que tout le voisinage pouvait l'entendre!»

Il alluma une cigarette alors, exactement comme Liz l'aurait fait. Rejetant lentement la fumée, il dit: «C'est à ta maman qu'elle en veut, Talley, pas à toi.»

Je le regardai fixement, et me forçai à parler. «Liz lui a piqué son petit ami.» Je sortis la photo de Johnny de sous mon oreiller. «Johnny Russell», dis-je. «C'est mon père, n'est-ce pas?»

Oncle Dan regarda la photo et hocha la tête. «Je ne sais pas qui était ton père, Tallahassee. Liz ne me l'a jamais dit, et je ne le lui ai jamais demandé. Je pensais que si elle souhaitait que je le sache elle me le dirait.» Il me prit par les épaules. «Mais tu ressembles beaucoup à Johnny. Thelma et moi nous l'avons tous les deux remarqué.»

Je le regardai fixement, attendant qu'il en dise davantage. «Est-ce que Liz aimait bien Johnny? Est-ce qu'ils sortaient ensemble ou quoi?» Je le pressai de répondre.

Il poussa un soupir et tira sur sa cigarette. « Johnny est sorti avec Linda tout le temps du lycée », dit-il. « Ils ont rompu juste avant de passer le bac, mais seule Liz pourrait te dire ce qui s'est passé. Ou Linda. C'était il y a si longtemps, chérie. »

« Est-ce que Johnny est parti en Floride avec Liz ? »

« Non. Il a été enrôlé. Madame Russell a failli en mourir. Elle était tellement contre cette guerre.

« Avec qui Liz s'est-elle enfuie, alors ? » Je serrai Mélanie contre ma poitrine et observai Oncle Dan, appliqué à faire un rond de fumée parfait.

« Oh, un de ces appelés roublards qu'elle avait rencontré à une manifestation », dit-il, tandis que le rond de fumée flottait jusqu'au plafond, et s'évanouissait. « Elle s'est enfuie avec lui sans dire à personne qu'elle partait. Pas même à Johnny. »

« J'ai fait la connaissance de Madame Russell aujourd'hui », dis-je. « Je pensais qu'elle pourrait peut-être me reconnaître. »

« Te reconnaître ? » Oncle Dan semblait déconcerté.

« Comme étant sa petite-fille. » Je commençai à tripoter les nattes de Mélanie, essayant de les lisser un peu. « Je suis sûre de l'être », ajoutai-je, comme Oncle Dan ne disait rien.

« Tu as les idées les plus folles qui soient, je peux te le dire. Tu es pire que ta mère. »

Je savais, au ton de la voix d'Oncle Dan, que ce n'était pas une critique. Il y avait des choses qu'il aimait en Liz, même s'il était le seul à les aimer.

« Est-ce que tu crois que je devrais poser des questions à Madame Russell sur Johnny ? » demandai-je.

« Non. » Oncle Dan avait l'air choqué. « Elle ne s'est jamais remise de la mort de ce garçon. C'était son fils unique. »

« Tu ne penses pas qu'elle aimerait avoir une petite-fille ? »

« Tallahassee, ne te mêle pas des affaires de cette dame. Tu ne dois absolument pas lui dire un mot de tout ça. » Il me regarda en fronçant les sourcils. « Je suis sérieux. »

Je tournai la tête et me glissai sous les couvertures. « Si je ne peux pas avoir de père ni de mère, est-ce que je ne peux pas avoir au moins une grand-mère ? »

« Quoi ? » Oncle Dan se pencha vers moi. « Je ne peux pas entendre ce que tu dis si tu as la couverture sur la tête. »

« Rien. » Je lui lançai un coup d'œil. « Je veux dormir maintenant, d'accord ? »

« Bien sûr, chérie. » Il me donna un petit baiser sur

le front. «Ne te laisse pas tourmenter par Madame De Flores, Tallahassee. Je n'ai pas une grande estime pour une femme adulte qui passe sa colère sur une enfant. Elle est mariée depuis des années à un type vraiment bien. Qu'est-ce qu'elle a à faire encore des histoires pour Liz et Johnny?»

Le dimanche, je m'ennuyai, sans Jane pour jouer avec moi, je partis donc me balader, sur le vieux vélo de Liz. Il était resté dans la cave avec deux pneus crevés pendant des années, mais Oncle Dan l'avait repeint en rouge sombre brillant et remis à neuf. Je n'avais jamais eu de vélo en Floride, et j'aimais beaucoup naviguer autour de Hyattsdale, et voir les mêmes choses que Liz lorsqu'elle avait mon âge.

Sur le chemin du retour, j'accostai dans l'avenue 41, vers la maison de Madame Russell. Lorsque je la vis dans son terrain, occupée à jardiner, je ralentis et dérapai pour m'arrêter, manquant heurter sa clôture.

Elle leva les yeux, effrayée par le crissement de mes pneus. «Eh bien», dit-elle, «bonjour, Tallahassee.»

Si Madame Russell ne semblait pas spécialement contente de me voir, Bo, lui, se jeta sur la clôture, aboyant et agitant la queue en même temps. « Salut, mon gars!» Je tendis la main vers lui pour le caresser.

Madame Russell nous regardait faire, Bo s'assit sur ses pattes de derrière et me lécha le nez. «Est-ce que je peux jouer avec lui un moment?» demandai-je.

«Je pense que oui», dit-elle.

«Regardez», lui dis-je, et je sautai par-dessus la clôture comme j'avais appris à le faire sur le cheval-d'arçons en éducation physique.

«La prochaine fois, passe par la porte», dit-elle, pas du tout impressionnée. «Tu pourrais te blesser à faire ça.»

«Viens, Bo!» Ramassant un bâton que Madame Russell avait enlevé du jardin, je courus à travers la pelouse et le lançai.

Nous jouâmes un long moment, et quand Bo fut fatigué au point de ne même plus regarder le bâton, je montrai à Madame Russell comme je savais faire la roue.

«Je la fais parfaitement», lui dis-je, à peine essouf-flée. «Monsieur Adams, mon professeur d'éducation physique, dit que je suis vraiment douée pour la gymnastique. Vous voulez voir comment je marche sur les mains?»

Elle ne répondit rien, je me lançai donc sur l'herbe la tête à l'envers, puis je lui montrai comment j'avançais facilement et pouvais me jeter en arrière. « Je sais même faire le grand écart. »

Je lui lançai des sourires forcés, la tête en bas, pensant qu'elle devrait bien remarquer quelque chose maintenant. Johnny n'avait-il pas fait du gymkhana ?

Mais tout ce que Madame Russell trouva à dire fut : « Tu as le visage tout rouge. Tu devrais peut-être te reposer un moment. »

Déçue, je la regardai racler le sol du jardin. « Est-ce que vous voulez que je vous aide à faire ça ? Ce gars, que Liz fréquentait, avait un jardin, et je l'aidais beaucoup. Nous avons fait pousser les plus grosses tomates que j'aie jamais vues, mais son chien n'arrêtait pas de les manger. » Je me mis à rire en me rappelant comme Roger était fou de rage contre ce pauvre Sandy. « Avez-vous déjà entendu parler d'un chien qui aime les tomates ? »

« Je vais bientôt arrêter pour aujourd'hui. » Madame Russell regarda sa montre. « Est-ce que ta tante ne va pas se demander où tu es ? »

Je haussai les épaules. « Elle espère sans doute que je me suis fait renverser par un camion ou quelque chose comme ça. »

« Tallahassee, c'est terrible de dire des choses pareilles.» Madame Russell s'appuya sur le manche du râteau et me regarda fixement.

«Elle ne m'aime pas beaucoup. Personne ici ne m'aime, d'ailleurs, à part Jane et Oncle Dan. Mais ça m'est égal. Bientôt je serai en Californie avec Liz.»

Bo colla son museau sur mon visage, me lécha le menton, et je recommençai à jouer avec lui.

«Je crois qu'il s'est assez excité pour aujourd'hui, Tallahassee», dit Madame Russell. «Viens, Bo, c'est l'heure du souper.»

«Est-ce que je pourrai encore jouer avec Bo?» Je suivis Madame Russell à mi-hauteur de l'escalier, espérant qu'elle m'inviterait à entrer chez elle.

«Si tu veux.» Elle s'arrêta sur le seuil et me regarda, notant chaque détail, me semblait-il. «Rentre chez toi maintenant», dit-elle.

Quand elle eut fermé la porte, je me retournai et dévalai les marches, sautai à nouveau par-dessus la clôture, et pédalai dur jusqu'à la rue Oglethorpe, regrettant de n'avoir pas eu le courage de dire quelque chose sur Johnny. J'aurais voulu lui demander comment il était et comment il avait trouvé la mort. Et surtout, j'aurais voulu lui demander si elle était ma grand-mère. Mais tout ce que j'avais réussi à faire, c'était de me mettre en avant, comme une vraie gosse.

CHAPITRE 14

Cette semaine-là je reçus enfin une carte postale de Liz. Elle était vraiment courte :

Talley chérie. Pas encore de fric pour une maison, travaille toujours à La Grosse Carotte. *Tu me manques un maximum, espère te voir bientôt. Gros bisous ! Liz.*

« Donc, c'est bien ça », marmonna Tante Thelma, lisant par-dessus mon épaule. Elle secoua la tête et prit un air affecté. « Eh bien, je m'y attendais. »

« Qu'est-ce que tu veux dire par là ? » Je tenais ma carte serrée sur la poitrine de telle sorte qu'elle ne puisse rien voir de plus.

Tante Thelma ne répondit pas. Au lieu de cela, elle attrapa Fritzi et l'emporta, l'appelant par des petits noms doux et lui demandant ce qu'il voulait pour dîner. Je n'aurais pas été surprise de l'entendre répondre qu'il voulait un chateaubriand ou un steak tartare. S'il l'avait dit, je suis sûre qu'elle lui en aurait donné.

Je courus jusqu'à ma chambre et m'y enfermai. «Regarde ça.» Je montrai à Mélanie le paysage reluisant de la carte postale. «C'est l'océan Pacifique», lui dis-je. «Tu vois comme le ciel et la mer sont bleus? Le soleil brille tout le temps en Californie, et il ne fait jamais froid.» Je regardai par la fenêtre le ciel gris et les nuages qui galopaient, les arbres secoués par le vent.

«Mais le plus important, c'est ce qu'il y a derrière.» Je retournai la carte et montrai le message à Mélanie. Elle le regarda fixement, son expression ne changeant jamais. «Liz ne dit pas exactement quand», expliquai-je, «mais nous serons bientôt à nouveau ensemble, Mélanie. Bientôt.»

Couchée sur le dos, je regardais attentivement le plafond, traçant des figures à partir des fissures et rêvant à la Californie. Si seulement Liz avait été un peu plus précise! Que signifiait ce «bientôt»? Quelques jours, deux semaines, un mois? Tout à coup, j'eus une idée.

«Tu sais quoi?» Je saisis Mélanie et la tins au-dessus de moi, en la secouant un peu pour donner de l'importance à mes paroles. «Je vais téléphoner à Liz pour savoir ce qui se passe.»

«Comment peux-tu faire ça?» Je donnai à Mélanie un ton de voix étonné. «Tu ne connais pas son numéro de téléphone, tu ne sais même pas où elle habite!»

«Mais je sais où elle travaille! Je peux appeler les Renseignements à Los Angeles et demander le numéro de *La Grosse Carotte.*»

«Oh, Talley, tu es géniale!» Mélanie frappa de ses mains boudinées et sourit. «Mais Tante Thelma? Elle ne te laissera pas appeler un numéro à longue distance.»

«Je le ferai pendant qu'elle sera au travail.» C'était tellement simple, je ne comprenais pas pourquoi je n'y avais pas pensé plus tôt.

L'après-midi suivant, je persuadai Jane de venir à la maison avec moi après l'école.

«Mais je ne suis pas autorisée à aller chez quiconque si ses parents ne sont pas là», chuchotait-elle nerveusement, comme je tournais la clé dans la serrure.

«Ta mère ne le saura jamais. Elle pensera qu'on est au parc.» Je conduisis Jane jusqu'à la cuisine, où Fritzi nous salua de son habituelle fusillade d'aboiements.

Pour faire taire Fritzi, je lui donnai une friandise pour chiens. «Pourquoi est-ce que tu ne m'aimes pas ? » lui demandai-je, tandis qu'il attrapait son pourboire sous la table et commençait à le mordre. Sa seule réponse fut un long grognement.

Pendant que Fritzi était occupé, Jane et moi étudiâmes l'annuaire du téléphone, pour essayer de comprendre exactement ce que nous étions censées faire pour un appel à longue distance. Après deux ou trois erreurs, je réussis à obtenir l'opératrice à Los Angeles et à lui expliquer ce que je voulais.

« Quelle *Grosse Carotte* ? » demanda-t-elle.

« Il y en a plus d'une ? »

« C'est une chaîne de restaurants diététiques. Il doit y en avoir plus d'une demi-douzaine à Los Angeles. »

« Bon, alors, pouvez-vous me donner le numéro de toutes les *Grosses Carottes* ? »

Bien qu'elle n'eût pas l'air d'en avoir envie, l'opératrice me trouva les numéros des huit *Grosses Carottes*, et je les notai tous.

« Maintenant. » Tenant le combiné en l'air, je regardai Jane. « Espérons que nous allons trouver Liz avant que Tante Thelma ne rentre. »

« Est-ce que tu vas lui demander, pour Johnny ? » demanda Jane tandis que je formais le numéro.

« Bien sûr que oui. Lorsque j'aurai réussi à savoir

quand elle va m'envoyer mon billet d'avion, ce sera la seule chose qui comptera.»

Jane était penchée par-dessus mon épaule, respirant à peine, tandis que j'appelais sept *Grosses Carottes,* avant d'obtenir la bonne.

«Liz Higgins?» demanda une voix féminine. «Oui, elle travaille ici. Voulez-vous lui parler?»

«Oui, s'il vous plaît.» Bien sûr que je voulais lui parler – pour quelle autre raison appellerais-je?

«Hé! t'as vu Liz?» criait la voix. «Dis-lui qu'il y a quelqu'un pour elle au téléphone.»

Puis, clac, le combiné fut posé, et je restai là, debout dans la cuisine, avec le cœur qui faisait bang, bang, bang. Finalement, quelqu'un saisit le téléphone.

«Allô?»

C'était Liz, et durant une minute, je ne pus rien dire. C'était Liz, c'était vraiment Liz!

«Oh! Il y a quelqu'un au bout du fil?»

«C'est moi», chuchotai-je. «C'est moi, Liz.»

«C'est qui?» cria Liz.

«C'est Tallahassee!» J'avais si peur qu'elle raccroche que je me mis à hurler. «Ta fille, au cas où tu l'aurais oublié!»

«Talley, mon chou!» Liz semblait très étonnée. «Comment est-ce que tu as eu mon numéro?»

«Par les Renseignements. Quand est-ce que je vais te rejoindre, Liz?»

«Tu n'as pas eu ma carte postale?»

«Si, mais elle ne disait rien. S'il te plaît, laisse-moi te rejoindre, s'il te plaît!»

«Ecoute, Tallahassee!» Liz arrêta net ma prière, la voix coupante comme un couteau. «Je t'ai dit que je ne pouvais pas me le permettre maintenant, financièrement. Ce n'est pas possible, c'est tout.»

«Mais avec l'autocar? Ce n'est pas cher.» Je pleurnichais, maintenant, une chose qu'elle détestait, je le savais, mais c'était plus fort que moi.

Liz s'arrêta pour allumer une cigarette, puis refoula la fumée si fort que je l'entendis. «Tu ne comprends pas, Talley. Les amis de Bob s'avèrent être une bande de nuls. Ils ne connaissent personne. Ils sont juste là, à attendre, toute la journée, à boire du vin et à parler du bon vieux temps. Et Bob est très content de traîner avec eux, à droite, à gauche, et de faire des tours avec sa moto. Je te jure que j'aurais pu aussi bien rester en Floride.»

«Tu veux dire que tu n'as rencontré personne dans le milieu du cinéma?»

«Je suis désolée, mon chou. J'aurais préféré avoir de meilleures nouvelles à te donner.»

Puis Liz commença à crier. «Ecoute, chérie, je ne peux pas te parler maintenant. J'ai des tables à débarrasser, et j'ai besoin de tous les pourboires que je peux récupérer. Sois gentille, tu veux? Je t'appellerai, c'est promis.»

Avant que j'aie le temps de dire un mot de plus, elle raccrocha.

Je reposai le combiné du téléphone et me tournai vers Jane. «Viens, allons au parc avant que Tante Thelma ne revienne.»

Dehors, en sécurité, Jane et moi nous nous mîmes à courir, dans le jardin, puis dans la rue. Quand nous arrivâmes au parc, nous nous laissâmes tomber sur un banc, trop essoufflées pour pouvoir parler.

Au bout d'un moment, Jane se tourna vers moi. «Qu'est-ce qu'a dit ta mère?»

«Pas grand-chose.» Je soupirai en regardant une mère qui poussait un petit enfant sur une balançoire. Elle chantait une chanson que Liz me chantait toujours, sur une montagne en sucre d'orge. «Les choses ne vont pas aussi bien que ce qu'elle imaginait, en Californie.»

Jane me regarda fixement, le visage grave. «Elle n'a pas rencontré de stars ou autre chose?»

Je secouai la tête si fort que mes cheveux allèrent

claquer la joue de Jane. «Et elle est vraiment déprimée, je peux te le dire, et moi qui ne suis pas là pour
lui remonter le moral. Oh, Jane, elle a vraiment besoin de moi, je le sais.»

La main de Jane se referma sur la mienne. «Elle te
ferait venir si elle pouvait. Je suis sûre qu'elle le ferait.»

Renversant la tête en arrière, je me mis à regarder
le ciel. Il commençait juste à s'assombrir. Une étoile
s'accrocha à la bande pâle du ciel, au-dessus du sommet des arbres, et l'air devint plus froid. Je vis la mère
soulever son petit enfant pour le faire descendre de la
balançoire et s'éloigner avec lui, toujours en chan-
tant.

«Je crois que nous devrions y aller», dis-je à Jane.
«Si tu n'es pas chez toi avant que les réverbères ne
s'allument, ta mère va encore te gronder.»

Jane se leva, et nous quittâmes lentement le parc.
Comme nous passions devant la maison de Madame
Russell, Jane dit: «Oh, Talley, tu n'as pas demandé à
Liz pour Johnny.»

«Je n'ai pas vraiment pu.» Je m'arrêtai près de la
clôture. La lumière de la cuisine était allumée, et je
pouvais voir Madame Russell assise à sa table, prenant son dîner.

«Ça doit être horriblement triste de manger toute seule tous les jours», dit Jane.

«Tu ne crois pas qu'elle serait drôlement contente d'avoir une petite-fille?»

Des scènes de bonheur se formaient dans ma tête, des films de famille: j'imaginais que Madame Russell et moi étions assises à sa table de la cuisine, que nous parlions et riions, et que Bo était là, étendu à nos pieds.

«Les réverbères sont allumés!» sursauta Jane, brisant tous mes rêves. «Je dois y aller!» Me laissant derrière, elle courut jusque chez elle.

Eh bien moi, je n'avais pas envie de courir, je flânais donc, regardant les fenêtres et m'imaginant comment étaient les gens à l'intérieur des maisons. Etaient-ils heureux? Est-ce que ça leur plaisait de vivre à Hyattsdale, ou est-ce qu'ils auraient tous préféré vivre en Californie?

Lorsque j'arrivai enfin rue Oglethorpe, j'étais en retard pour le dîner. J'eus des ennuis à cause de cela et parce que j'étais dehors la nuit tombée. Comme punition, je dus passer une heure avec Oncle Dan à faire mes problèmes de maths au lieu de regarder ne serait-ce qu'une demi-heure de télévision.

Deux longues semaines s'écoulèrent. Si aucune

nouvelle de Liz ne nous parvint, la note de téléphone de Tante Thelma, par contre, ne tarda pas à arriver. J'étais dans ma chambre lorsqu'elle la reçut, mais
à la façon dont elle me dit de descendre, je compris
que j'allais avoir des ennuis.

Elle était au pied de l'escalier, son enveloppe à la
main. «Qu'est-ce que cela signifie?» hurlait-elle à
mon encontre. «Je dois payer douze dollars et demi
pour des appels de longue distance en Californie,
c'est sur ma note de téléphone!»

«De quoi parles-tu?» Je m'arrêtai au milieu des
marches et regardai fixement la note qu'elle agitait
sous mes yeux.

«C'est toi qui as fait ces appels, n'est-ce pas?»

«Je voulais juste parler à ma mère!»

«Tu m'as dit que tu n'avais pas son numéro!»

«Je ne l'avais pas! J'ai demandé aux Renseignements.»

Tante Thelma jeta la note de téléphone sur la
table. «D'abord, il a fallu que je paye pour ce chemisier que tu as abîmé, et maintenant c'est ça. Je ne te
laisserai pas sournoisement profiter de ce que j'ai le
dos tourné pour faire grimper mes notes de téléphone. Tu as compris?»

Comme je repartais à toute vitesse vers ma

chambre, elle m'arrêta. «Qu'est-ce qu'a dit Liz quand tu lui as parlé?»

«Elle va me faire venir très bientôt!» hurlai-je. «Cela devrait te faire plaisir!» Puis je lui tournai le dos et montai l'escalier en fulminant.

Je me laissai tomber sur mon lit, attrapai Mélanie et regardai par la fenêtre les nuages gris qui voguaient dans le ciel. Comme j'étais là, étendue, je vis un paquet de feuilles mortes monter en spirale dans les airs, comme s'il était aspiré par un aspirateur géant.

«Si seulement j'étais Dorothée», chuchotai-je à Mélanie, «et qu'une gigantesque tornade m'emporte loin d'ici. Peut-être pas directement au pays d'Oz. Peut-être jusqu'en Californie seulement.»

CHAPITRE 15

Le jour suivant était un samedi. Jane était chez l'orthodontiste, à l'abri de ma mauvaise influence ; je
sautai donc sur mon vélo et partis vers la maison de
Madame Russell. Je n'étais pas encore décidée à
l'abandonner.

Je la trouvai dans la cour arrière, elle accrochait
un drap à un fil tendu du porche au garage. Bo s'agitait tout autour, essayant de mordre les serviettes qui
se soulevaient au vent.

« Vous voulez de l'aide ? » Je sautai encore une fois
par-dessus la clôture, après avoir attaché mon vélo à
l'un des pieux.

Madame Russell marmonna quelque chose qui
ressemblait à un oui, la bouche pleine de vieilles
pinces à linge en bois.

« Vous n'avez pas de sèche-linge ? » J'attrapai un
bout de drap humide et m'efforcai tant bien que mal
à l'accrocher au fil.

Jetant les pinces à linge dans un petit sac qui pendait au fil, elle dit : « Les beaux jours, comme celui-ci, je fais sécher mes draps et mes serviettes dehors. Ça leur donne une bonne odeur. »

D'un coup sec, elle tira un coin du drap, pour l'éloigner de Bo. « Non, Bo ! Vilain chien ! »

Bo se mit immédiatement sur ses pattes arrière, avec un air si piteux que je ne pus m'empêcher de rire.

« Vous voulez que je l'emmène promener ? » demandai-je. « On pourrait jouer dans le parc ou autre chose. »

« Je pense que ça devrait être possible. » Madame Russell portait son regard de Bo à moi et de moi à Bo. « Mais il faudra que tu le tiennes en laisse, Tallahassee. J'ai déjà eu des problèmes avec les gardiens du parc pour l'avoir laissé courir librement. Pauvre petit. » Elle caressa Bo. « Tu ne comprends rien aux règles concernant les chiens, n'est-ce pas ? »

Quand elle partit chercher la laisse dans sa maison, je la suivis en haut des marches, espérant à nouveau qu'elle m'inviterait à entrer. « Attends ici », me dit-elle. « Je reviens tout de suite. »

Je jetai un coup d'œil, par la contre-porte, à la grande cuisine ensoleillée. La cuisine de Johnny.

L'une des fenêtres était entièrement recouverte d'étagères de verre, débordantes de violettes africaines, toutes fleuries et resplendissantes. Elles me rappelèrent les tentatives futiles de Liz pour faire pousser des plantes ; quand elles mouraient, elle disait que c'était parce qu'elle n'avait pas la main verte, mais je savais ce qu'il en était. Les plantes ont besoin d'être arrosées. Il ne faut pas que vous partiez en les oubliant si vous voulez qu'elles poussent.

Quand Madame Russell réapparut avec la laisse, Bo fit des bonds, en agitant la queue. «Il comprend vite», dit-elle. «Dès qu'il voit ça, il sait qu'il va alller en promenade.»

Elle s'agenouilla près de lui et accrocha la laisse à son collier. «Maintenant fais attention à lui, Tallahassee», dit-elle. «Et souviens-toi de ce que je t'ai dit, de ne pas le laisser en liberté.»

Madame Russell nous accompagna jusqu'au trottoir et nous fit un signe de la main tandis que nous remontions l'avenue 41. «Soyez de retour dans une heure», cria-t-elle.

«Allez, Bo! On y va, mon gars!» Je commençai à courir dès que nous arrivâmes au parc, et Bo fonça tout droit comme un chien de course, on aurait dit qu'il volait. J'aurais beaucoup aimé lui enlever sa laisse, mais j'avais peur que Madame Russell ne l'apprenne et ne me laisse plus jamais l'emmener nulle part.

Nous ne ralentîmes pas jusqu'à notre arrivée à l'étang. Alors je laissai Bo patauger dans l'eau et boire tout son saoûl. J'espérai que Madame Russell ne se mettrait pas en colère en le voyant si plein de boue.

Sur le chemin du retour, je m'arrêtai pour laisser un groupe de petits enfants caresser Bo. Ils avaient tous l'air de le connaître, et l'un d'eux voulut savoir où était Madame Russell et qui j'étais.

«Elle est à la maison, elle fait sa lessive», dis-je, «et je suis sa petite-fille. C'est pour ça que j'emmène Bo en promenade.»

«J'ai une grand-mère, moi», me dit une petite fille.

«Moi aussi», dit un autre enfant. «Mais elle est en Arizona. J'irai la voir cet été. En avion.» Il étendit ses bras comme des ailes et courut retrouver les autres enfants, en faisant des bruits de moteur.

Lorsque nous revînmes à la maison de Madame Russell, la laisse n'était plus tendue entre nous. Nous étions trop fatigués pour courir.

«Vous avez fait une belle balade?» Madame Russell était devant la porte et nous attendait, les mains jointes devant elle, le dos droit.

« Bo est un peu allé dans la boue », dis-je sur un ton d'excuse. « Il a pataugé dans la mare et puis il a bu à toutes les flaques d'eau que nous avons rencontrées. »

Madame Russell gratta les oreilles de Bo. « Ce grand idiot pourrait trouver de l'eau en plein désert du Sahara. N'est-ce pas, mon imbécile de chien ? »

Bo se roula sur le dos et agita les quatre pattes en l'air ; Madame Russell lui gratta le ventre. « Qui est la plus grande canaille du monde ? » lui demanda-t-elle.

Se redressant, Madame Russell me sourit. « J'imagine que tu dois avoir très soif toi aussi, à moins que tu n'aies goûté aux flaques comme lui. Voudrais-tu entrer une minute et prendre une tasse de thé avec moi ? »

Je la suivis jusque derrière sa maison. Avant de me laisser entrer, elle me fit retirer la boue de mes chaussures pendant qu'elle nettoyait les pattes de Bo avec un vieux chiffon. Lorsque nous fûmes entrés, elle me fit asseoir à une grande table en chêne, le genre à avoir les pieds sculptés en pattes de lion, et versa du thé dans de jolies petites tasses fleuries.

« Des gâteaux ? » Madame Russell me passa un plat

avec des petits gâteaux au gingembre empilés les uns sur les autres.

Tandis que je mangeais, Madame Russell dit: «J'ai pensé à quelque chose pendant que Bo et toi étiez partis, Tallahassee. Est-ce que ça te dirait de l'emmener courir tous les samedis au parc? Je pourrais te donner un dollar de l'heure.»

«Oh, ce n'est pas la peine de me donner de l'argent.» Je la regardai fixement. «Je le ferai gratuitement. J'adore Bo!» Je me baissai et lui frottai le poil pour qu'elle ne voie pas comme j'étais excitée. Elle m'aime bien, me disais-je, c'est sûr qu'elle m'aime bien!

«Non, non, j'insiste pour te payer, Tallahassee. C'est ainsi, si cela convient à ta tante et à ton oncle.»

«Cela leur est égal.»

Elle secoua la tête. «Je les appellerai ce soir pour être sûre que cela leur convient tout à fait.» Elle avala une gorgée de thé. «J'aime bien me promener avec Bo, mais je ne peux pas le faire courir comme toi. Il a besoin d'exercice.»

«Où avez-vous eu Bo?» demandai-je. «Chez un marchand ou quoi?»

Madame Russell sourit à Bo. «Un jour, au printemps dernier, je me promenais avec une amie. Nous avions pris un chemin qui suit la voie du chemin de fer, et tout à coup nous avons vu un chiot assis sur une traverse. Si un train était arrivé à ce moment-là, il l'aurait heurté. Nous avons appelé le petit chien et il est venu tout de suite vers nous.» Elle s'arrêta et gratta Bo derrière les oreilles.

«Nous ne pouvions pas l'abandonner là», continua-t-elle. «Etant donné que mon amie Emma vit en appartement, elle n'avait pas de place pour lui, je l'ai donc ramené à la maison. J'ai parcouru les annonces des journaux un mois durant, mais personne ne l'a réclamé.»

Bo émit un drôle de petit son, posa la patte sur mes genoux, la tête inclinée, et me fit une grimace, comme un sourire. «Vous voulez dire que quelqu'un l'a laissé partir, comme ça? L'a abandonné?»

«C'étaient peut-être des gens qui ne pouvaient pas le garder et ne savaient qu'en faire.» Madame Russell secouait la tête.

«Ils auraient pu l'amener à la fourrière», dis-je. «Il aurait été en sécurité, là.» Bo me gratta la jambe et aboya doucement. D'un air triste, il roulait des yeux, et son regard sans cesse se portait vers les gâteaux puis vers moi. «Est-ce qu'il peut avoir un gâteau?»

«Un seul. Ils ne sont pas bons du tout pour ses

dents, mais il adore les choses sucrées.» Madame Russell riait sous cape. «J'ai bien peur qu'il ne soit très gâté.»

«Comment en êtes-vous venue à lui donner un si drôle de nom?» Je regardai Bo attraper le gâteau sec au vol. J'eus l'impression qu'il l'avala d'un coup, car il disparut tout de suite.

« Etant donné qu'il était installé sur la voie ferrée entre Baltimore et Ohio, j'ai décidé de l'appeler Bo. Le diminutif de B et O, tu vois.»

«Ça me rappelle la façon dont on m'a donné un nom. Je suis née à Tallahassee, en Floride, Liz a donc fait exactement la même chose que vous.» Je fis la grimace. «Ce n'est pas mal d'appeler un animal familier du nom de l'endroit où il a été trouvé. Pour ce qui me concerne, j'aurais préféré un vrai nom.»

«Je ne suis pas étonnée que Liz ait voulu donner à son enfant un nom qui ne soit pas ordinaire, pas commun», dit Madame Russell.

Je levai les yeux, me demandant si c'était une critique de Liz. Si c'en était une, son visage ne le montra pas du tout. «Pourquoi dites-vous ça?»

«Eh bien, parce que Liz n'a jamais fait la même chose que les autres.»

Je posai ma tasse de thé avec grande précaution.

Elle était si fragile qu'on pouvait presque voir au travers, et il me semblait qu'un grand bruit aurait pu la briser. «Est-ce que vous connaissiez bien ma mère?» demandai-je prudemment, sentant combien nous étions près d'en arriver à la question que je voulais vraiment lui poser.

«Comme je te l'ai dit, j'ai été son professeur.» Madame Russell but une gorgée de thé. «Ensuite, bien sûr, comme elle habitait très près, elle faisait partie pour moi du voisinage. Liz et Linda De Flores et mon fils, Johnny, ils étaient tous du même âge et passaient beaucoup de temps ensemble, surtout quand ils étaient adolescents.»

Madame Russell regarda derrière moi, vers la porte de derrière. «Les jours comme celui-ci, ils se retrouvaient sur le porche arrière. Liz avait généralement sa guitare et ils chantaient. Pauvre Johnny, je pouvais facilement reconnaître sa voix. Il chantait faux. Mais Liz, sa voix était vraiment très belle.»

«Je ne sais pas tenir une note», dis-je à Madame Russell. «Liz dit que mon père n'y arrivait pas non plus. Elle dit aussi que je lui ressemble beaucoup.» Je me penchai vers elle, le cœur battant.

«Qu'est-ce que Liz t'a dit d'autre au sujet de ton père?» Madame Russell me regardait intensément comme si elle ne m'avait jamais vue auparavant.

«Rien. Sauf que j'ai ses cheveux et ses dents.»

Pendant quelques instants, aucune de nous ne parla. Par la fenêtre ouverte, j'entendais un oiseau qui chantait. Non loin, quelqu'un mit en marche une tondeuse à gazon, et une voiture remonta la rue en accélérant.

Puis le téléphone sonna si fort que j'en sursautai. Madame Russell quitta la pièce pour répondre, me laissant seule avec Bo.

«Oui», l'entendis-je dire, «oui, elle est ici. Je lui dis de rentrer immédiatement. Non, pas du tout, Thelma.»

Madame Russell retourna à la cuisine. «C'était ta tante, Tallahassee», me dit-elle. «Elle veut que tu retournes à la maison pour déjeuner.»

«Comment a-t-elle su que j'étais là?»

«Madame De Flores a vu ton vélo accroché à ma clôture.»

«Est-ce que Tante Thelma est contrariée?»

«Je ne pense pas.» Madame Russell me regarda porter la petite tasse fragile jusqu'à l'évier et la poser sur le rebord avec précaution.

«C'est étonnant. Elle est contrariée pour n'importe quoi, en général.»

Madame Russell rinça les petites tasses et les essuya soigneusement. «Et maintenant, Tallahassee», dit-elle avec douceur, «tu ferais mieux de courir jusqu'à la maison.»

«C'est la faute de Tante Thelma si Liz s'est enfuie de chez elle», dis-je en me dirigeant vers la porte, sachant que je devais m'en aller mais désireuse de rester encore.

«Ce n'est pas juste», dit Madame Russell. «Les gens font ce qu'ils veulent bien faire. Personne n'agit à leur place.» Elle ouvrit un vieux placard de cuisine et posa les tasses en sûreté sur une étagère.

«Parfois je voudrais m'enfuir pour la Californie et retrouver Liz», dis-je.

«S'enfuir ne résout rien du tout», dit Madame Russell. «En fait, cela donne généralement une série de nouveaux problèmes, pires que les anciens. Et cela blesse les gens qu'on laisse derrière.»

«Ça ne blesserait pas Tante Thelma. Elle serait contente.»

Madame Russell secoua la tête. «Et ton Oncle Dan? Il ne s'est jamais remis du départ de Liz. Tu ne voudrais pas le blesser, n'est-ce pas?»

Je me mis à caresser Bo avec attention pour essayer de ne pas penser à ce que disait Madame Russell. Bien sûr, je ne voulais pas blesser mon oncle. Je l'aimais. Mais Liz l'aimait elle aussi, et cela ne l'avait pas arrêtée.

«Ta mère te manque vraiment, n'est-ce pas?» Madame Russell se tenait tout près de moi, si près que j'aurais pu la toucher et la serrer dans mes bras.

«Oui», chuchotai-je, sentant monter dans ma gorge une boule aux arêtes coupantes. «Et j'ai tellement peur de ne plus jamais la revoir. Parfois je me dis qu'elle ne veut plus de moi.» Je me mis à pleurer, alors, et mes larmes imprégnèrent la fourrure de Bo.

Madame Russell me toucha les cheveux très doucement. Je sentis sa main se poser sur ma tête, puis se retirer lentement. «Ne pleure pas, Tallahassee, ne pleure pas. Elle reviendra. Donne-lui un peu de temps.»

Je m'essuyai les yeux sur ma manche, gênée d'avoir pleuré devant Madame Russell. Je me relevai et la regardai droit dans les yeux, avec le désir très fort qu'elle me dise les mots magiques, qu'elle me dise qu'elle savait qui était mon père, mais elle ne dit rien.

«Est-ce que vous voulez toujours que je sorte Bo le samedi?» demandai-je.

«Bien sûr que oui. J'appellerai ta tante ce soir et je lui en parlerai.» Elle jeta un coup d'œil à sa montre et fronça les sourcils. «Oh, ma petite, il est une heure passée. S'il te plaît, présente mes excuses à Thelma. J'ai bien peur de t'avoir mise en retard pour le déjeuner.»

Ayant remercié Madame Russell pour les gâteaux et le thé, je lui fis un signe d'au revoir et traversai la pelouse en courant jusqu'à ma bicyclette. Tout en pédalant vers la rue Oglethorpe, je repensai à tout ce que Madame Russell avait dit, en particulier sur Johnny. Je me rappelai la façon douce dont elle m'avait touché les cheveux et dont elle m'avait souri. Même si elle ne m'avait pas dit du tout que j'étais sa petite-fille, j'étais sûre de l'être. Et j'étais sûre aussi qu'elle m'aimait bien. Autrement, elle ne m'aurait jamais autorisée à promener Bo.

CHAPITRE 16

Quelques jours plus tard, de retour de l'école, Jane et moi nous laissâmes tomber par terre devant la maison d'Oncle Dan. C'était une très chaude journée, trop chaude pour faire du vélo, trop chaude pour se promener dans le parc, trop chaude pour faire quoi que ce soit. Juste pour nous irriter, Fritzi, assis sur son arrière-train, nous observait de derrière la fenêtre en aboyant. J'habitais là depuis bientôt trois mois, et il avait l'air de croire encore que j'étais l'ennemi public numéro un.

«Pauvre petit, il veut sortir», dit Jane. «Est-ce que mon Fritzi chéri arrêtera d'aboyer si on joue avec lui?» Elle appuya son visage contre la fenêtre et lui envoya de petits baisers à travers la vitre.

«T'es idiote ou quoi?» Je regardai fixement Jane, révoltée par cette façon de parler à mon ennemi comme s'il était un bébé à cajoler. «Ne gaspille pas ton souffle pour ce monstre.»

«Oh, j'aime les petits chiens. Ils sont si mignons.» Jane sourit à Fritzi, qui continua à japper et à sauter comme un fou derrière la fenêtre.

«Chiant.» A mon avis, Fritzi n'était même pas un chien. Il ressemblait plus à une grosse saucisse en équilibre sur quatre petites pattes.

«Est-ce que tu as une poupée?» demanda brusquement Jane.

«J'en ai eu une comme cadeau de souvenir lorsque j'ai quitté la Floride, mais elle est vraiment laide.» Je sentais que je n'aurais pas dû dire de choses aussi désagréables sur cette pauvre Mélanie, mais je ne voulais pas que Jane sache que, juste après elle et Bo, ma meilleure amie était une poupée.

«Je ne joue pas avec elle ni quoi que ce soit», ajoutai-je pour que Jane ne se fasse pas d'idées sur Mélanie et moi. «Pourquoi? Tu voudrais faire un anniversaire de poupées ou quelque chose de ce genre?»

Jane secoua la tête en riant. «J'étais en train de penser à quelque chose que nous pourrions faire. J'ai une vieille poussette de bébé à la maison. Si j'allais la chercher, pendant ce temps tu irais prendre la robe de ta poupée, nous pourrions la mettre à Fritzi et le trimbaler dans la poussette.»

«Pas question.» Je regardai Jane fixement. «C'est la chose la plus débile que j'aie jamais entendue. En plus, Fritzi te mordrait la main si tu essayais de lui enfiler une robe.»

«Oh, allons, Talley. Il a l'air tellement adorable. J'ai un petit bonnet froncé qu'il pourrait mettre.» Jane était en équilibre sur la première marche, prête à courir chez elle pour prendre la poussette.

Fritzi aboya à nouveau, une longue suite de jappements. Je regardai son museau pointu, ses petits yeux vicieux, et éclatai de rire en pensant à la tête qu'il aurait avec un bonnet froncé. Il détesterait ça, ça lui apprendrait à être toujours si méchant avec moi.

Ayant dit à Jane d'aller chercher la poussette et le bonnet, je courus dans les escaliers pour prendre Mélanie. «Ce que je vais faire est vraiment horrible», chuchotai-je, «et je m'en excuse, mais il faut que j'emprunte ta robe.»

La laissant sur le lit, je me précipitai pour faire entrer Jane dans la cuisine. Ensemble nous réussîmes à coincer Fritzi. Nous le corrompîmes avec des os pour chiots, grâce à quoi nous pûmes lui enfiler la robe et le bonnet. Il nous sauta à la figure et gronda mais n'essaya pas vraiment de nous mordre, même quand

Jane vaporisa sur lui du parfum de Tante Thelma et le précipita dans la poussette.

«Tu le fais tenir tranquille, et je pousse», dit Jane en ouvrant la porte de derrière.

Nous étions à mi-hauteur de l'allée quand Fritzi sauta brusquement de la poussette et courut comme un chien fou à travers la pelouse en direction de la rue. Il était considérablement ralenti par la robe de Mélanie et le bonnet, qui lui couvrait complètement la tête maintenant, mais Jane et moi ne pouvions l'attraper.

Je riais tellement fort que je pouvais à peine courir, et Jane poussait la voiture de poupée en criant: «Mon bébé, mon bébé, au secours, mon bébé!»

Trop tard, je vis la voiture qui descendait la rue et Fritzi, aveuglé par le chapeau, qui courait au-devant d'elle. «Non, Fritzi, non!» hurlai-je.

Je fermai les yeux, mais cela ne m'empêcha pas d'entendre le grincement aigu des freins, puis le bruit horrible du choc. Quelques secondes durant, je restai immobile, essayant de me convaincre que rien ne s'était passé.

«Oh, non», sanglotait Jane. «Oh, non, non, non.» Sa voix s'affaiblit et je sentis sa main me serrer le bras. «Il est mort?» chuchota-t-elle.

Ouvrant les yeux, je vis une femme, dans la rue, penchée au-dessus d'un petit paquet de haillons. «Est-ce que c'est votre chien?» demanda-t-elle. Sa voix tremblait et elle semblait tout à fait bouleversée. «Il a couru droit sur moi, je ne pouvais pas m'arrêter.»

Lentement, je me dirigeai vers elle, ne voulant pas regarder Fritzi, redoutant ce que je risquai de voir. «Est-ce qu'il est...?» chuchotai-je, incapable de terminer ma question.

Elle secoua la tête. «Il est gravement blessé, cependant. Est-ce que votre mère est là?»

«Non.» Je m'agenouillai près de Fritzi. Les mains tremblantes, je lui retirai doucement le bonnet. Les yeux de Fritzi étaient ouverts, et il me regardait. Je posai la main sur sa tête et il se mit à geindre.

«Voilà ta tante!» souffla Jane. Mon sang se glaça, et je restai près de Fritzi à regarder la vieille Ford qui freinait.

La portière de la voiture s'ouvrit, et Tante Thelma émergea. Elle nous regarda un moment fixement, le visage pâle, les mains sur la bouche. «Qu'est-ce qui s'est passé?» cria-t-elle.

«Votre chien... il a couru au-devant de ma voiture...», commença d'expliquer la femme, mais Tante

Thelma se laissa tomber à genoux, en me repoussant.

«Fritzi!» cria-t-elle, «Fritzi!»

«Ce n'est pas de ma faute», dit la femme. «Ces filles l'avaient habillé avec des habits de poupée. Le chapeau lui recouvrait les yeux, et il n'y voyait rien.»

Ignorant la femme, Tante Thelma se tourna vers moi. «Tallahassee, qu'est-ce que tu as fait?» hurla-t-elle.

Je reculai, terrifiée par l'expression de colère sur son visage. «Je suis désolée», dis-je. «Nous voulions seulement jouer avec lui. Nous ne pensions pas qu'il pourrait se blesser.»

«Voulez-vous que je vous conduise chez le vétérinaire?» demanda la femme, tandis que Tante Thelma prenait Fritzi et le berçait contre sa poitrine comme un enfant.

Je regardai Tante Thelma entrer dans la voiture de la femme, puis me précipitai derrière elle. Pressant mon visage contre la vitre relevée, je criai: «Je suis désolée! Je suis désolée!»

Tante Thelma me jetait des regards furieux par la portière. «Rentre immédiatement à la maison, Tallahassee Higgins! Nous reparlerons de ça quand je reviendrai!»

Je m'écartai de la voiture, et la femme la fit démarrer, nous laissant dans la rue, Jane et moi.

«Je crois que je ferais mieux de rentrer, Tallahassee», dit Jane, mal à l'aise.

«Je t'avais bien dit que c'était une idée débile, non?»

«Tu n'as pas besoin de me crier après!» Jane s'écarta de moi, emportant la vieille poussette avec elle.

«Oui, tu n'avais pas besoin d'apporter cette imbécile de poussette ici ni de lui mettre du parfum partout!»

«Je suis désolée!» cria Jane. «Je ne savais pas ce qui arriverait!» Elle se retourna et courut dans la rue, poussant la voiture devant elle, et je rentrai dans la maison, en claquant la porte derrière moi.

Dans ma chambre, la première chose que je vis fut cette pauvre Mélanie, gisant sur le lit où je l'avais jetée, avec ses sous-vêtements, ses petites chaussures, ses chaussettes, et rien d'autre. Je la pris et me laissai tomber sur le lit, où je pleurai jusqu'à ce que le sommeil me gagne.

Quand je me réveillai, la chambre était sombre et froide, et Oncle Dan me secouait doucement. «Tallahassee», disait-il, «et si tu mettais ta chemise de nuit et allais au lit ? Il est presque dix heures, chérie. Tu as dormi tout le temps du dîner. »

« Où est Tante Thelma ? » Je m'assis, serrant toujours Mélanie dans mes bras.

« Elle dort. »

« Et Fritzi ? »

« Il va s'en tirer. Avec une patte dans le plâtre et deux côtes cassées. » Il me caressa l'épaule. « Ne te fais pas de souci, Tallahassee. Ce chien va retrouver son mauvais caractère bien connu d'ici peu de temps. »

« Je ne voulais vraiment pas qu'il se blesse, Oncle Dan. »

« Oh, je le sais bien, Tallahassee ». Il me serra dans ses bras. « Ta tante va se calmer. Laisse-lui seulement un peu de temps. Ce chien est comme un enfant pour elle. »

Je lissai les cheveux de Mélanie. « Elle ne me pardonnera jamais », dis-je à voix basse. « J'en suis sûre. »

« Quoi ? » Il pencha sa tête tout près de la mienne, je pouvais sentir l'odeur de cigarette qui l'imprégnait.

Sans y réfléchir, je refermai mes bras autour de lui et pressai mon visage contre la laine râpeuse de sa chemise. « Oh, Oncle Dan, crois-tu que Liz va jamais m'envoyer ce billet ? »

« Bien sûr que oui, Talley. » Il poussa un soupir et

s'écarta de moi. «Et maintenant prépare-toi à aller au lit comme une bonne fille que tu es, et ne te fais pas de souci pour Fritzi ou Liz. Tout ira bien. Tu verras.»

Il se leva lentement et me laissa seule. Rapidement, je retirai mes vêtements, grelottant de froid, et me mis au lit. «Oh, Mélanie», murmurai-je, «je sais que Tante Thelma va me haïr pour toujours, maintenant.»

«Peut-être devrions-nous partir pour la Californie», murmura Mélanie. « A cet instant même.»

Je secouai la tête et fronçai les sourcils devant son visage souriant. «Tu es tellement bête, Tête de melon. Tu ne sais donc pas que tu ne peux aller nulle part sans argent?»

«Tu n'as qu'à en trouver», dit Mélanie. «Vole une banque ou autre chose.»

«Et en plus, je ne sais pas exactement où est Liz.»

«Va dans toutes les *Grosses Carottes* jusqu'à ce que tu trouves la bonne, idiote.» Mélanie me faisait des simagrées.

Je la pris dans mes bras et restai ainsi pendant un moment, pensant à Liz et à sa surprise si elle me voyait arriver en Californie. Elle serait au travail, sans doute, à débarrasser les tables, et elle viendrait jusqu'à ma table à moi. Elle ne me reconnaîtrait pas tout de suite parce que j'aurais le dos tourné.

«Et vous, que prendrez-vous?» dirait-elle. «Le spécial est excellent aujourd'hui. Soupe de brocoli à la crème fraîche et salade de thon sur croissant.»

Alors je me retournerais et ôterais mes lunettes de soleil. Liz en aurait le souffle coupé de me voir me lever, puis de commencer l'un de mes meilleurs tours de magie pour elle, celui qui la fait toujours rire. Attrapant ma Baguette Magique de la Bonne Sorcière Glinda, je la lui poserais sur la tête et fredonnerais: «Sois heureuse, Liz, sois heureuse.»

Le sommeil commençait à me gagner, tandis que j'imaginais Liz qui m'embrassait, les larmes de joie qui lui coulaient sur les joues, lorsque j'entendis des voix venant de la chambre de mon oncle et ma tante.

«Dan? C'est toi?» demandait Tante Thelma. «Je croyais que tu dormais.»

«Non, je suis juste allé voir ce que devenait Tallahassee», dit Oncle Dan.

«J'espère qu'elle est satisfaite, maintenant», dit Tante Thelma. «Elle a détesté ce pauvre Fritzi du jour où elle a franchi notre porte d'entrée.»

«Oh, Thelma», commença Oncle Dan.

«Arrête avec tes *Oh, Thelma!* dit ma tante, agressive. « Tu deviens complètement aveugle dès qu'il s'agit de cette enfant. Exactement comme avec Liz, tu ne crois pas qu'elle puisse faire quelque chose de mal. Tu as vu où cette illusion t'a mené pour sa mère ! »

« Tallahassee se sent très coupable, Thelma. Elle n'a jamais voulu faire de mal à ce chien. Elle et Jane jouaient avec lui, c'est tout. »

« C'est une sale petite menteuse, qui a tout combiné, exactement comme sa mère, et elle sait que tu croiras tout ce qu'elle te dira ! »

« Tu ne penses pas ce que tu dis, Thelma. » Oncle Dan paraissait choqué.

« Je le pense entièrement ! Je savais que je le regretterais lorsque j'ai dit qu'elle pouvait venir chez nous ! Plus vite elle partira pour la Californie, mieux ça vaudra ! »

« J'en ai assez entendu ! » dit Oncle Dan, élevant la voix à son tour.

« Où vas-tu ? » demanda Tante Thelma.

« En bas, dormir sur le divan ! » cria Oncle Dan.

« Eh bien, vas-y ! » dit Tante Thelma. « Mais ne viens pas te plaindre à moi que ton dos te fait mal demain matin ! »

Puis la maison devint vraiment calme. Je fermai

les yeux et tentai de toutes mes forces de retourner auprès de Liz, à *La Grosse Carotte*, mais tout ce qu'avait dit Tante Thelma continuait à résonner dans ma tête comme un écho, en prenant toute la place.

Pensait-elle vraiment que j'étais le genre de personne à me réjouir qu'un animal soit blessé? Même si je n'aimais pas Fritzi, je me sentais honteuse de cet accident. Toute ma vie je me rappellerais la façon dont il avait couru vers la voiture et le bruit terrible des freins. Si j'avais pu faire remonter le temps, jamais je n'aurais emmené Fritzi dehors avec ces habits de poupée sur le dos.

«Tante Thelma est sans doute désolée que la voiture ne m'ait pas heurtée, moi», dis-je à Mélanie. «Simplement, elle aurait préféré que j'en meure, plutôt que je me casse juste une jambe.»

«Qu'est-ce que tu vas faire?» Mélanie voulait savoir. «Comment peux-tu continuer à vivre avec quelqu'un qui pense que tu hais les animaux et que tu es une sale menteuse qui combine ses coups?»

«Il va falloir que je m'enfuie», murmurai-je. «Je ne peux pas rester ici, je ne peux pas!»

CHAPITRE 17

Le bruit de la pluie me réveilla de bonne heure le matin suivant. «Très bien», dis-je à Mélanie. «Un jour parfait: sombre et humide et horrible.»

Je tapai sur le bouton de sonnerie du réveil et me mis sur le dos pour écouter l'eau gargouiller dans les tuyaux d'écoulement. Fermant les yeux, je me laissai reprendre par le sommeil.

«Tu n'as pas mis le réveil à sonner?» La voix de Tante Thelma me réveilla. Elle était dans le passage de la porte, tenant Fritzi dans les bras. Il avait une patte dans le plâtre, mais à part cela il paraissait normal. Et même, il se mit à gronder en me voyant.

Essayant de ne pas tenir compte du ton méchant de sa voix, je dis: «Je suis tout à fait désolée pour Fritzi, Tante Thelma. Je ne voulais vraiment pas qu'il se blesse. »

«Parfois, désolé ne suffit pas.» Ses yeux étaient aussi froids que deux cailloux au fond d'un ruisseau glacé.

«Mais je ne pensais pas qu'il sauterait de la poussette pour courir dans la rue.» J'entendais ma voix prendre peu à peu un ton geignard, et j'essayai de la maîtriser. «Jane et moi nous voulions seulement faire un petit jeu. Nous ne voulions pas...»

«Je ne veux plus en entendre parler, Tallahassee.» Des petits glaçons s'accrochaient à chaque mot qu'elle prononçait.

«Tu me détestes, n'est-ce pas?» Je sentais que je me raidissais de partout.

«Crois ce que tu veux», dit Tante Thelma. «Je sais, de toute façon, que c'est ce que tu feras.» Me tournant le dos, elle allait quitter la chambre, mais me dit par-dessus son épaule: «Lève-toi. Je dois aller au travail.»

«Tu es vraiment atroce!» hurlai-je en sa direction. «Pas étonnant que ma mère se soit sauvée!»

«Tu n'as pas honte de me parler comme ça?» Tante Thelma fit demi-tour, effrayant Fritzi. «Je ne t'ai pas demandé de venir ici, je ne t'ai pas invitée, mais tant que tu es dans ma maison, je te demande de tenir ta langue et d'être correcte!»

«Ce n'est pas ta maison! C'est la maison de mes grands-parents, et s'ils voyaient comment tu me traites, ils te haïraient, eux aussi!» criai-je. «C'est toi

184

qui devrais partir d'ici! Je voudrais bien qu'Oncle Dan demande le divorce!»

Avant qu'elle ait pu dire quoi que ce soit d'autre, je passai vite devant elle et m'enfermai à clé dans la salle de bains.

«Sors de là!» hurla Tante Thelma.

«Pas avant que tu ne sois partie!»

«Oh, fais comme tu veux! Je ne peux pas me permettre d'être en retard au travail à cause de toi.»

Clac, clac, clac, elle descendit les escaliers. Dès que j'entendis la porte de derrière claquer, je retournai à ma chambre et m'habillai. Jetant tout ce que j'avais dans mon sac à dos, je pris Mélanie et la photo de Johnny, et partis en courant dans la pluie du matin. Je savais qu'il était trop tôt pour rencontrer Jane, et c'était bien ainsi. Je lui en voulais encore beaucoup, de toute façon.

Lorsque j'arrivai à hauteur de la maison de Madame Russell, j'étais trempée et gelée. Je poussai la porte de son jardin et me précipitai vers l'entrée de la maison où je me mis à cogner fort.

«Eh bien, Tallahassee, qu'est-ce qu'il y a ?» Madame Russell fit un pas de côté pour me laisser entrer.

Laissant tomber mon sac à dos par terre, je sortis

la photo de Johnny. «Je pense que vous êtes ma grand-mère», criai-je, «et je suis venue vivre avec vous!»

Madame Russell prit la photo et me regarda fixement. Puis elle tomba à genoux et m'entoura de ses bras. Elle me laissa pleurer tant et plus, sans dire un seul mot.

Quand je fus un peu calmée, elle m'emmena dans la cuisine et me prépara une tasse de thé. Pendant que je la buvais, elle se tenait tranquillement assise, en face de moi. Puis enfin, elle parla.

«Voudrais-tu me dire ce qui s'est passé?» demanda-t-elle d'une voix douce.

Tout fut dit, sans plus de retenue, pas seulement l'accident de Fritzi et les horreurs que Tante Thelma avait proférées et que j'avais entendues, mais aussi mes problèmes à l'école, mes craintes au sujet de Liz, et mes espoirs pour Johnny.

«C'est pourquoi je veux rester ici avec vous jusqu'à ce que Liz vienne me chercher», dis-je. «Je serai la meilleure petite-fille du monde, honnêtement je le serai. Je vous aiderai et prendrai soin de Bo et ferai tout ce que vous me demanderez. Je ferai même mon travail d'école», ajoutai-je, pensant que cela était probablement important pour Madame

Russell. «Je ne serai la cause d'aucun problème, je le jure!»

De nouveau elle fut silencieuse, trop silencieuse.

«Vous ne voulez pas de moi non plus, n'est-ce pas?» Je me levai brusquement, faisant tomber par terre ma petite tasse fragile. Je la vis se briser en morceaux comme une coquille d'œuf, tandis que j'attrapai mes affaires et me précipitai vers la porte.

«Tallahassee», entendis-je appeler Madame Russell, «Tallahassee!»

L'ignorant, je sautai par-dessus la clôture, manquant glisser sur l'herbe humide, et fonçai dans la pluie jusqu'à la maison d'Oncle Dan. Juste au moment où je prenais le tournant, je vis Jane descendre la rue, avec son grand parapluie mauve.

«Tallahassee, où étais-tu?» demanda-t-elle. «J'étais justement allée chez toi, où je n'ai pas arrêté de frapper.»

Je m'arrêtai et essuyai les larmes sur mes joues, avec ma manche. «Je suis allée me balader», marmonnai-je, trop bouleversée maintenant pour en vouloir encore à Jane.

«Sous la pluie?» Jane me regardait avec de grands yeux. «Et pourquoi est-ce que tu transportes tout cet attirail?»

«Oh, Jane, il faut que je parte d'ici, il le faut!»

«C'est ta tante, n'est-ce pas? Elle doit être tellement contrariée pour Fritzi.»

«Elle me déteste vraiment, Jane. Et je suis allée chez Madame Russell, elle ne veut pas de moi non plus. Je pars en Californie pour trouver Liz, après, tout ira bien.»

«Mais comment vas-tu faire pour aller là-bas?»

«Du stop. De la marche. Je ne sais pas.»

« J'ai plein d'argent dans ma tirelire, Tallahassee», dit Jane lentement. «Plus de cinquante dollars. Si je te donnais ça, tu pourrais t'acheter un billet d'autocar, je pense.»

J'avalai mon souffle et serrai Mélanie contre ma poitrine. Je n'avais jamais eu une amie comme Jane de toute ma vie. «Je te rembourserai», lui dis-je, «dès que je pourrai.»

«Viens, on va revenir chez moi et je vais le prendre.» Jane me tourna le dos et partit en courant vers sa maison.

«Mais nous sommes censées être à l'école! Que va dire ta mère?» criai-je à sa suite, tout en m'éclaboussant avec les flaques d'eau.

«Je lui dirai que j'ai oublié mon travail de classe.» Jane arriva au grand galop à la porte de chez elle.

«Jane?» Madame De Flores leva les yeux de sa machine à coudre. «Pourquoi reviens-tu à la maison?»

«Devoir de maths!» haletait Jane. «Faut que je le prenne!»

La suivant dans sa chambre, je fermai la porte derrière moi. Jane grimpa sur sa chaise de bureau et attrapa sa tirelire sur l'étagère la plus haute. C'était un petit cochon tout rond, en argent, avec un grand sourire grimaçant.

«Tu n'es pas obligée de le casser, n'est-ce pas?» demandai-je, tandis qu'elle le posait sur son lit.

«Non, il se dévisse et part en morceaux.» Jane ouvrit le tiroir de son bureau et y prit un petit tournevis. Elle fit glisser la lame dans une minuscule vis sous le ventre du cochon, puis ouvrit la tirelire dont le contenu se déversa sur le lit.

Triant les billets et les pièces, nous nous mîmes à compter. Trente-sept billets d'un dollar, deux de cinq, et cinq dollars cinquante-cinq cents en monnaie.

«Cinquante-deux dollars et cinquante-cinq cents», dis-je.

«Ce serait peut-être suffisant pour deux billets de car», dit doucement Jane.

Je secouai la tête. «Non, Jane, tu ne peux pas venir.»

«Pourquoi pas?» Elle fit une moue et battit des paupières comme si elle essayait de ne pas pleurer.

«Parce que tu vis ici. Avec ta mère et ton père, tes frères et tes sœurs. Si tu partais, ce serait une fugue, et c'est interdit par la loi.»

«Mais tu as dit toi-même que tu allais faire une fugue.»

« Oui, mais ce n'est pas vraiment ça. Je m'en vais d'ici pour rejoindre ma mère, qui a beaucoup besoin de moi, qu'elle le sache ou non.»

Jane commença à se ronger un ongle tout en regardant le visage de Holly Hobbie sur sa descente de lit. «Qu'est-ce que tu veux dire par là, qu'elle a besoin de toi?»

Je poussai un soupir. «C'est ça. Liz n'est pas une adulte comme ta mère, et elle a besoin de moi pour s'occuper d'elle. En Floride, quand elle était déprimée, je lui chantais des chansons et dansais pour elle comme Fred Astaire, pour la faire rire. Et je lui préparais de la soupe et du thé, et au bout d'un moment, elle se sentait mieux.»

Jane attaqua un autre ongle. «Une fois, Matthew et moi, on a essayé de faire des claquettes parce que

190

Maman et Papa se bagarraient. On pensait que ça les ferait rire et qu'ils ne penseraient plus à se disputer, mais ils nous ont seulement dit de sortir, pour pouvoir continuer à se crier après. »

Je ne savais que dire. Il ne m'était jamais venu à l'esprit que les parents de Jane pussent se quereller. Bien sûr, sa mère n'était pas aimable, mais je m'imaginais que le pauvre Monsieur De Flores était habitué à cela.

« Bon, de toute façon », dis-je à Jane, « je dois aller là-bas pour m'assurer que Liz va bien. Après, je lui dirai de t'inviter chez nous. »

« Tu crois qu'elle dira oui ? » Les yeux de Jane brillaient.

« Je suis sûre que oui. Surtout quand je lui dirai que tu m'as prêté de l'argent. »

Nous restâmes sur le lit en silence, à écouter le bruit de la pluie qui gargouillait dans les gouttières. Puis Jane dit : « Je sais que tu dois partir, Talley, mais tu vas tellement me manquer. »

« Tu vas beaucoup me manquer toi aussi, Jane. Mais je t'enverrai des cartes postales à tous les arrêts de car. » Je respirai un grand coup. « Tu es la meilleure amie que j'aie jamais eue. »

« Toi aussi, Talley. »

A ce moment-là, Madame De Flores monta les escaliers en hurlant : «Il est presque neuf heures, Jane ! Tu ferais bien de filer à l'école !»

Je me levai et enfonçai l'argent dans ma poche de jean. Puis Jane et moi descendîmes à toute vitesse et quittâmes la maison.

CHAPITRE 18

«Je hais ta tante!» dit Jane comme nous descendions la rue Farragut vers la route Un. «J'espère qu'elle se sentira vraiment coupable de t'avoir traitée de cette façon.»

« Tu plaisantes! Elle sera bien contente que je sois partie. Mais pas Oncle Dan.» Je me tournai vers Jane. «Est-ce que tu voudras bien lui dire, un de ces jours, que je l'aime beaucoup? Je lui écrirai de Californie et lui expliquerai tout, mais dis-le-lui aussi, OK? »

«Bien sûr», dit Jane. «J'aime bien ton oncle. Il est gentil. Mais je ne parlerai plus jamais à ta tante aussi longtemps que je vivrai!»

«Moi non plus!» Nous étions au coin de la route Un, et nous pouvions voir l'arrêt du bus, à quelques maisons de là.

«Oh, Talley, tu es sûre de devoir partir?» Deux grosses larmes apparurent dans les yeux de Jane. «Ne m'oublie pas», sanglota-t-elle.

«Je ne t'oublierai pas. Jamais.» Je la serrai dans mes bras, puis me détachai d'elle pour courir vers l'arrêt du bus. Je ne regardai pas en arrière. Si je l'avais fait, je ne serais peut-être pas montée dans le bus qui descendait cahin-caha la route Un pour venir vers moi.

«Est-ce que vous allez vers la gare du Greyhound?» demandai-je au chauffeur, tandis que les portes s'ouvraient pour moi dans un bruit de ventouse.

«Assurément», dit-il. «Je m'arrête juste en face.» Ayant introduit mon ticket dans le composteur, je m'assis sur le siège derrière lui. «Pourrez-vous me dire quand nous y serons?»

Il fit signe que oui et me sourit par-dessus ses larges épaules. Puis il manœuvra pour s'éloigner du trottoir. Regardant par la fenêtre, je vis Hyattsdale s'éloigner au loin comme un mauvais rêve, que j'espérais bien ne plus jamais faire.

«Où allez-vous, si vivement et si tôt un jour de classe?» demanda le conducteur.

«En Californie, voir ma mère», dis-je, me sentant importante. J'étais la seule personne dans le bus, et j'aurais aimé que le conducteur soit mon chauffeur personnel et qu'ensemble nous roulions jusqu'en Californie. Juste lui et moi. Tous les deux, longuement, nous aurions roulé à travers l'Amérique, ne nous arrêtant jamais, jusqu'à ce que nous atteignions l'océan Pacifique, où Liz m'attendrait.

«Elle voulait que je vienne il y a déjà très longtemps, mais mon oncle et ma tante ne voulaient pas me laisser partir. Finalement, ma mère m'a envoyé de l'argent et m'a dit de prendre l'autocar aujourd'hui», racontai-je au chauffeur, souhaitant poursuivre la conversation.

«Ah ouais?» Il freina brusquement et montra le poing à un camion de marchandises qui s'était arrêté juste devant lui.

Puis, avant que j'aie pu lui dire autre chose, il s'arrêta pour prendre deux dames.

«Charlie, comment ça va?» La première qui entra se laissa tomber derrière lui, me repoussant à l'autre bout du siège, puis son amie réussit à se frayer une place entre elle et moi.

«Très bien, Ellie», dit le conducteur, et à partir de là, il m'oublia complètement. Ces dames s'égosillèrent à lui parler d'un ami commun, qui venait juste de subir une terrible opération. Peut-être ne savaient-elles pas lire la pancarte au-dessus de sa tête qui mentionnait: «SVP, ne parlez pas au conducteur lorsque le bus est en marche.»

«Eh, petite», dit le conducteur, se souvenant tout à coup de moi. «C'est ici que tu descends.» Il montra du doigt l'autre côté de la rue. «C'est la gare terminus, juste là. Sois prudente, maintenant, ne parle à personne. Des tas de gens bizarres qui rôdent par là, pas un endroit pour une petite fille comme toi.»

«Je ne suis pas une petite fille!» Contente d'avoir enfoui Mélanie loin des regards, je hissai mon sac à dos sur les épaules et passai devant lui.

«Tu prends juste ton billet, tu t'assois sur une banquette à côté d'une personne respectable, et tu ne regardes personne, OK?» continuait-il.

«Et ne va pas aux toilettes sauf si tu en as vraiment besoin, chérie», ajouta l'une des dames.

«Je sais ce que j'ai à faire.» Je les regardai tous les deux d'un air irrité. Les portes du bus se refermèrent et ils partirent, tout en continuant de parler. De moi, sans doute, maintenant que je n'étais plus là pour les entendre.

Je pus voir immédiatement ce que voulait dire le conducteur en parlant de gens bizarres. Une vieille femme en haillons s'était installée près de la porte de la gare. Elle avait environ cinq sacs en plastique autour d'elle, et elle parlait à son poing. Elle le levait à hauteur de visage et hurlait contre lui. Le poing approuvait, puis se secouait d'avant en arrière, mais restait toujours là, à écouter chacune de ses paroles.

J'ai contourné la femme, la regardant du coin de l'œil jusqu'à en avoir mal, mais sans doute ne me voyait-elle même pas. «Tu m'as entendue!» criait-elle à son poing. «C'est ça! C'est ça qu'ils veulent faire, mais ils ne m'auront pas, non, pas Tillie. Ils ne s'en sortiront pas comme ça.»

A l'intérieur de la gare, c'était presque aussi horrible. Les banquettes étaient pleines de gens assis partout, comme des zombis, leurs sacs et valises à leurs pieds. Tous semblaient malades, avec des toux sèches et pénibles, et j'eus peur que quelqu'un ne s'effondre pour mourir juste là, devant moi.

Je trouvai le guichet des billets et sortis mon argent. «Combien est-ce pour aller en Californie?» demandai-je à une femme qui me fit penser à Madame Duffy.

Elle commença à tapoter sur l'ordinateur devant elle. «Avez-vous moins de douze ans?» demanda-t-elle.

«J'ai dix ans», mentis-je, me souvenant que Liz disait toujours que j'avais dix ans quand nous allions au cinéma. Elle payait mon billet moins cher grâce à cela. «Mon anniversaire est le quinze août.» Je lui fis un gros sourire forcé pour lui faire croire que j'étais une gentille petite fille, pas une menteuse, ou une tricheuse ou quoi que ce soit.

Elle hocha la tête. «Voyagez-vous avec votre famille?»

«Seulement moi. Je vais retrouver ma mère.» Je refis mon sourire forcé, bien qu'apparemment elle n'eût pas remarqué le premier.

«Hmmm», marmonna-t-elle, me jetant à peine un coup d'œil. Puis elle me proposa toutes sortes d'options - prix famille, prix spécial, et plein d'autres - mais aussi bas qu'ils aient pu être, ils restaient toujours plus chers que ce que je pouvais mettre. Finalement, je la remerciai et lui dis que je devais en parler à ma tante.

Je me dirigeai de l'autre côté du guichet, où l'employée ne pouvait pas me voir, et demandai à la dame du bureau d'information un horaire des autocars pour la Californie. En l'étudiant, je découvris que je pouvais aller jusqu'à Boulder, dans le Colorado, pour cinquante dollars. Pensant que je pourrais toujours faire du stop pour le trajet qui restait, j'achetai le billet et m'assis près d'une charmante vieille dame. Sortant Mélanie de mon sac à dos, je lui fis un sourire, qu'elle me rendit. «Le plus loin, le mieux», lui chuchotai-je à l'oreille.

Comme je devais attendre presque une heure l'autocar pour Boulder, je sortis *Le Grand National* et commençai à lire, mais c'était difficile de se concentrer. Je m'attendais à voir Oncle Dan débouler dans la gare du terminus, avec Tante Thelma derrière lui.

Enfin, le haut-parleur annonça l'arrivée de l'autocar pour la Californie et énuméra les lieux où il était censé s'arrêter, entre ici et là-bas, dont Boulder. Attrapant mon sac à dos, je me joignis au groupe de gens qui se dirigeaient vers la porte 12, tendis mon billet au chauffeur et montai dans le bus.

Je choisis un siège vers le fond, où, pensais-je, le chauffeur pourrait m'oublier, et m'installai confortablement. Peut-être pourrais-je rester dans ce bus jusqu'en Californie si je me cachais dans le cabinet de toilette ou quelque chose comme ça. Qu'ils fassent de moi ce qu'ils voudraient, une fois que je serais à Los Angeles – même me mettre en prison. J'appellerais Liz, et elle s'occuperait de tout.

Farfouillant dans mon sac à dos, j'en sortis Mélanie. « Tu es indécente », chuchotai-je. « Cela me gêne qu'on me voie avec toi. Tu n'as donc pas d'habits ? »

Je la fis hocher la tête. « Tu as laissé ce chien les abîmer, tu te rappelles ? »

M'assurant que personne ne me regardait, je soulevai Mélanie jusqu'à la fenêtre et regardai Washington défiler devant nos yeux. J'espérais pouvoir jeter un coup d'œil sur la Maison Blanche ou sur le Capitole, mais je ne vis que des rues pluvieuses, encombrées de voitures et de bus, et des alignements de maisons et de petits magasins.

«Dis au revoir à la capitale de ce pays», dis-je à Mélanie. «Nous ne la verrons sans doute plus jamais.»

L'ayant fourrée dans mon sac à dos, je me laissai aller dans mon siège et fermai les yeux. Dans combien de temps serai-je en Californie? me demandai-je. Les roues de l'autocar répondirent, en grondant, *bientôt, bientôt, bientôt,* avant de m'emporter dans le sommeil.

Je ne me réveillai pas avant que le bus ne ralentît pour son premier arrêt à Hagerstown, au Maryland. Deux personnes étaient là, qui attendaient de monter – un vieil homme et un officier de police.

CHAPITRE 19

Quand l'officier de police commença à parler au chauffeur, je m'enfonçai dans mon siège, en mettant *Le Grand National* devant mon visage. «Peut-être qu'il veut juste faire un voyage», chuchotai-je à Mélanie. «Ou peut-être qu'il poursuit un dangereux trafiquant de drogue qui voyage justement dans ce car.»

Mais j'entendis le policier marcher dans l'allée dans ma direction, ses chaussures craquant à chacun de ses pas. Je ne levai pas les yeux, ni ne posai mon livre, pas même lorsqu'il s'arrêta à côté de moi et que je pus sentir son regard qui me transperçait.

Il s'éclaircit la voix. «Est-ce que votre nom est Tallahassee Higgins?» demanda-t-il.

Sans lever les yeux de la phrase que je lisais et relisais, je secouai la tête. «Il doit y avoir une erreur. Mon nom est Mélanie», marmonnai-je. «Mélanie Russell.»

«Viens, Tallahassee.» Il me prit le bras, me fit lever et m'attira vers lui. «Allons-y», dit-il.

Tout le monde dans le car se tourna vers moi et me regarda fixement, tandis que l'officier de police me conduisait dans l'allée. Je suppose qu'ils s'imaginaient tous que j'allais finir en prison ou quelque chose comme ça.

Peut-être était-ce ce qui arrivait aux fugueurs.

Le policier me conduisit à sa voiture et me dit de monter du côté du passager. Puis il roula jusqu'au commissariat, deux rues plus loin. «Ta tante va venir te chercher», dit-il. «Elle sera là dans une heure environ. Est-ce que tu as mangé quelque chose?»

Je secouai la tête. «Je n'ai pas faim.»

«Une boisson, alors?» Il s'arrêta devant un distributeur et y mit quelques pièces.

M'ayant donné une boîte fraîche, il m'emmena dans son bureau où il me fit un long discours sur les dangers de la fugue. «Sais-tu combien d'enfants disparaissent dans ce pays chaque jour?» demanda-t-il. «Combien font des fugues et qu'on ne voit plus jamais ensuite?»

«Je ne faisais pas une fugue», murmurai-je. «J'allais voir ma mère en Californie.»

«Mais tu as acheté un billet pour Boulder.

D'après ce que peut savoir ta tante, tu n'as ni ami ni parent là-bas.»

«Je n'avais pas assez d'argent pour aller jusqu'en Californie, et donc j'allais rester dans l'autocar. Je pensais pouvoir me cacher dans les toilettes ou autre chose.» Je me mordis les lèvres pour m'empêcher de pleurer et fixai des yeux une affiche montrant des enfants disparus, accrochée au mur derrière le policier. Leurs visages souriants étaient tous alignés sous cette phrase *M'avez-vous vu?* Je regardai attentivement chaque visage un peu flou, dans l'espoir de pouvoir en reconnaître un au moins, mais j'étais bien sûre de n'en connaître aucun.

«Est-ce que tu m'écoutes?» Le policier s'arrêta au beau milieu de son long discours sur les terribles expériences vécues par les fugueurs. «A ton avis, que te serait-il arrivé à Boulder?»

«Qu'est-ce que ça peut bien faire? Tout le monde s'en fiche.» Je sentais une grosse boule dure me monter dans la gorge, et qui me blessait comme si j'avais avalé du verre.

«Crois-tu vraiment ça?» L'officier de police se pencha vers moi, mais je ne le regardai pas. La boule me faisait monter les larmes aux yeux, et je ne voulais pas qu'il me vît pleurer.

«Pourquoi penses-tu que je suis venu te chercher dans ce car?» demanda-t-il.

Je haussai les épaules et reniflai pour refouler mes larmes. Pensant que cela pourrait m'aider de boire du soda, j'en bus une gorgée, mais elle ne réussit pas à aller au-delà de la boule, et commença à m'étrangler. Je me mis à tousser, tandis que le policier m'expliquait comment Tante Thelma avait appelé la police pour me porter disparue.

«Elle était vraiment retournée lorsque ton école a appelé pour demander pourquoi tu n'étais pas en classe», dit-il. «Crois-moi, Tallahassee, ta tante se fait du souci pour toi.»

«Hum», reniflai-je, continuant de refouler mes larmes mais commençant à perdre la bataille.

«Et ta mère, qu'en est-il? Tu crois qu'elle ne s'en fait pas?»

Ça y était. Les larmes arrivèrent en jets sur mon visage, et mon nez commença à couler; je penchai ma tête sur le bureau et braillai comme un bébé. «Je ne sais pas si elle s'en fait ou non», pleurai-je. «C'est pour ça que je voulais la voir. Pour savoir. Et aussi pour être sûre qu'elle va bien. Elle ne sait pas très bien prendre soin d'elle.»

Il me laissa pleurer un long moment, et quand

j'eus fini, il me tendit une boîte de Kleenex. J'en utilisai au moins une douzaine pour me moucher le nez et m'essuyer le visage.

«Et maintenant», dit-il, «je veux que tu me promettes quelque chose, Tallahassee.»

Je le regardai alors, et son visage avait une expression aimable, exprimant une sorte de sympathie et de fermeté à la fois.

«Je veux que tu me promettes que tu n'essaieras plus jamais de te sauver.» Il s'arrêta un moment, attendant que je fasse oui de la tête ou autre chose.

Comme je ne disais rien, il ajouta : «Tu ne réalises peut-être pas que fuguer est interdit par la loi. Si tu le fais encore, je te ferai mettre dans un centre de détention pour un certain temps. Je ne crois pas que ça te plaira beaucoup.»

«Mais si ma mère m'envoie l'argent, je peux aller en Californie.» Je fixai des yeux à nouveau les enfants disparus, et leurs visages me remplirent de tristesse. Lorsque ces photos avaient été prises, personne n'avait pensé alors qu'elles finiraient sur une affiche ou sur des cartons de lait ou des sacs d'épicerie dans toute l'Amérique.

«Si ta mère t'envoie de l'argent, c'est tout à fait différent.» Les paroles de l'officier de police planèrent suffisamment longtemps dans l'air pour ne plus résonner que comme un énorme «si».

«Et, en attendant», ajouta-t-il avec un sourire, «tu dois rester avec ta tante et ton oncle comme ta mère le souhaite. D'accord?»

«Je crois que oui», marmonnai-je.

«Tu ne veux pas avoir ta photo sur l'une de ces affiches, n'est-ce pas?» Il avait suivi mon regard vers les enfants disparus.

Je secouai la tête et baissai les yeux en direction du linoléum. L'affiche commençait à m'effrayer; elle me faisait penser à la mort et à la guerre nucléaire et à toutes ces choses inquiétantes qui m'angoissaient parfois la nuit.

A ce moment-là, la porte s'ouvrit et une femme passa la tête dans le bureau. «Officier Milbourne, Madame Higgins est là, pour sa nièce.»

L'officier Milbourne se leva et me tendit sa main à serrer. C'était une grande main, chaude et dure, et elle serra la mienne très fermement. «Elle va probablement être très contrariée, au début», dit-il, en me faisant un clin d'œil. «Ils le sont toujours, quand ils se sont fait du souci, mais, souviens-toi, c'est parce qu'elle est retournée. Elle ne le serait pas si tu ne comptais pas pour elle.»

Je hochai la tête, mais ma bouche était sèche et mon estomac noué. C'était facile pour lui de rester là à cligner de l'œil et à sourire, comme si c'était une petite plaisanterie que nous avions organisée tous les deux. Il n'allait pas devoir, lui, faire tout le trajet du retour à Hyattsdale, avec Tante Thelma.

«Tallahassee!» Tante Thelma se rua dans le bureau. Un instant, je crus qu'elle allait me prendre dans ses bras, mais elle s'arrêta net à quelques centimètres de moi, et serra son petit sac sur sa poitrine à la place. «Dieu merci, tu vas bien!»

Elle était plus que retournée, me dis-je. Elle était folle furieuse, prête à me tuer. J'aurais voulu rester là, parler avec l'officier Milbourne un peu plus longtemps. L'écouter raconter le sort horrible des fugueurs valait mieux encore que de monter dans la voiture de Tante Thelma.

«Ton oncle et moi, on s'est fait un souci effroyable!»

Tante Thelma me regardait en fronçant les sourcils.

«Comment as-tu pu faire une chose pareille?»

J'espérais que l'officier Milbourne interviendrait pour lui dire qu'elle devrait être bien contente que ma photo ne soit pas ajoutée à toutes les autres sur l'affiche des enfants disparus, mais il se penchait au-dessus d'une pile de papiers sur son bureau.

«Je voulais seulement voir Liz», marmonnai-je.

Tante Thelma ouvrit la bouche, puis la ferma d'un coup, comme si elle s'obligeait à ne rien dire d'épouvantable sur ma mère. «Puis-je ramener ma nièce à la maison, maintenant?» demanda-t-elle à l'officier Milbourne.

Il sortit de derrière son bureau, posa un bras sur mes épaules, et me serra contre lui. «Tallahassee voudrait seulement voir sa maman», dit-il à Tante Thelma. «Peut-être pourriez-vous l'aider à la contacter.»

Je jetai un regard plein d'espoir à Tante Thelma, mais elle se contenta de dire: «Prends ton sac à dos, Tallahassee. Il faut y aller.»

Elle remercia encore l'officier Milbourne pour tout le mal qu'il s'était donné, puis elle me poussa vers la porte, jusque dans le hall d'entrée. La dernière image que j'eus de l'officier Milbourne fut son long regard vers l'affiche des enfants disparus.

Dehors, la pluie avait finalement cessé et le soleil était apparu, réchauffant chaque chose. La voiture était fumante et chaude, et j'y entrai à contrecœur, sachant que Tante Thelma s'apprêtait à me crier encore après. Durant quelques minutes, cependant, elle resta absolument tranquille, serrant si fort le volant dans ses mains que ses articulations en devenaient blanches.

«Eh bien», dit-elle finalement, «je n'ai jamais été aussi humiliée depuis le départ de ta mère! Par toute cette ingratitude, cette irresponsabilité, cet égoïsme! Est-ce qu'il t'arrive de penser à d'autres qu'à toi-même?»

Je posai mes pieds sur la boîte à gants et commençai à trifouiller un trou de mes tennis. Je sentais un filet de sueur qui me descendait le long de la colonne vertébrale. «Après ce que tu as dit hier soir et ce matin, je pensais que tu serais contente de te débarrasser de moi.»

«Et Dan? Est-ce que tu as seulement pensé à lui, à ce qu'il pouvait ressentir?» Tante Thelma donna un coup de poing sur le volant. «Tu sais à quel point Liz l'a blessé en s'enfuyant. Comment as-tu pu fuir aussi, faire la même chose?»

«Je suis exactement comme elle, n'est-ce pas? Tu l'as dit assez souvent!» Ma voix s'amplifiait, mais cela m'était égal à présent.

«Tu crois que c'est entièrement de ma faute si Liz s'est enfuie, n'est-ce pas?» Tante Thelma se tourna vers moi. «J'ai fait de mon mieux pour essayer d'être gentille avec ta mère, la comprendre et même de prendre la place de sa mère, mais rien n'y a fait. Elle était déterminée à suivre sa propre voie, et elle se moquait de blesser qui que ce soit. Elle n'a jamais pensé à qui que ce soit en dehors d'elle!»

Tante Thelma agrippa le volant et respira un grand coup. «Elle a pris Johnny Russell à Linda, puis l'a laissé tomber quand s'est présenté quelqu'un de plus intéressant. Que pouvaient lui faire tous ceux qu'elle laissait derrière elle? Elle n'a jamais repensé à aucun d'entre eux, ni à sa meilleure amie, ni à son ami, pas même à son propre frère.»

Je regardai ma tante fixement, mais elle ne me voyait pas. Son regard mauvais se portait droit vers le parking.

«Pendant les huit mois qui ont suivi le départ de Liz, nous n'avons absolument pas su où elle était», continua Tante Thelma. «Pas un coup de fil, pas une lettre, pas même une carte postale. Dan pensait qu'elle était morte. Puis elle a appelé et nous a dit qu'elle avait un bébé et est-ce qu'il pouvait lui envoyer de l'argent pour payer les frais d'hôpital!»

Tante Thelma secoua la tête. «Et, bien sûr, Dan l'a fait. Il lui a envoyé de l'argent pendant des années. J'espère seulement qu'elle l'a utilisé pour t'élever.»

Je me laissai glisser dans mon siège pour éviter de regarder ma tante. «Bien sûr que oui, Liz s'est toujours occupée de moi. Je suis sa fille, non?»

«Oui, mais regarde la façon dont elle te traite. Elle fait avec toi la même chose que ce qu'elle a fait avec Dan. Est-ce que ça ne prouve pas à quel point elle est égoïste et irresponsable?»

«Elle est ma mère! Je l'aime de toute façon! Et elle, elle m'aime aussi!» Je poussai la portière et sautai de la voiture. Sans savoir où j'allais, je me mis à courir dans le parking.

«Reviens ici, Tallahassee!» hurlait Tante Thelma.

«Laisse-moi tranquille!» criai-je. «Je ne veux plus jamais te voir! Jamais!»

Jetant un coup d'œil par-dessus mon épaule, je vis Tante Thelma qui me suivait, courant maladroitement sur le bitume dans ses sandales à hauts talons. Son visage était rouge de colère, et son sac à main cognait contre sa hanche.

«Arrête-toi immédiatement», hurlait-elle.

Mais je continuai à courir. Comme le Bonhomme Pain d'épices, je savais que je pouvais aller bien plus vite que ma tante. A hauteur de la rue, cependant, je regardai encore en arrière. Tante Thelma continuait à courir, le visage plus rouge que jamais. Soudain, sa cheville tourna, et elle s'abattit lourdement sur le sol. Son sac à main vola dans les airs, son contenu s'éparpilla à travers le parking, mais Tante Thelma restait agenouillée, là, sur le bitume, la tête baissée. Elle n'essayait même pas de se relever.

Je l'observai, attendant qu'elle fît quelque chose. J'aurais voulu descendre la rue et courir vers les montagnes et ne plus jamais regarder en arrière, mais je ne pouvais pas la laisser toute seule dans ce parking. Et si jamais elle avait une crise cardiaque ou une attaque ?

A contrecœur, je retournai vers elle, traînant les pieds. Le temps que je sois près d'elle, elle s'était assise, et avait mis son visage dans ses mains. Son pantalon était déchiré au genou et son bras avait une entaille au-dessus du coude. Pire que tout, elle pleurait.

En silence, je ramassai ses affaires — clés, maquillage, pièces de monnaie, bonbons mentholés, biscuits pour chiens, stylo à pointe fine de la Banque Suburbaine, deux paquets de chewing-gum, des mouchoirs en papier — et les remis dans son sac. « C'est tes affaires », marmonnai-je. « Ça va ? »

Elle hocha la tête et fouilla dans son sac pour trouver un mouchoir, mais elle ne se leva pas. Elle restait là, à pleurer, avec moi à ses côtés, qui sentais le soleil me taper sur la tête.

«Je suis désolée, Tallahassee», finit par dire Tante Thelma. «Je n'aurais pas dû dire toutes ces choses sur Liz. Mais je m'étais fait tellement de souci pour toi, et j'étais si angoissée à l'idée que j'avais pu te décider à partir.» Elle loucha vers moi. Ses larmes avaient laissé des traînées de mascara sur ses joues, la faisant ressembler à un clown triste.

Si ç'avait été Liz, j'aurais sorti ma baguette magique de mon sac à dos, ou je lui aurais raconté une blague tartignole, ou je lui aurais fait une petite danse. Les trucs bêtes faisaient toujours rire Liz. Mais Tante Thelma et moi n'avions aucun truc en commun pour nous aider quand les choses tournaient mal. Je restai donc seulement à fixer des yeux, au-delà du parc de stationnement, les montagnes qui tremblaient dans une brume de chaleur, et à attendre que Tante Thelma fît quelque chose.

Lorsqu'elle eut fait un effort pour se remettre debout, je la pris par le bras et l'aidai à boitiller jusqu'à sa voiture. Sans me regarder, elle s'installa derrière le volant, mit le moteur en marche, et quitta lentement le parc de stationnement.

CHAPITRE 20

Silencieusement, nous roulions sur l'autoroute, bordée de stations-service, de centres commerciaux et de restaurants fast-food. Comme nous arrivions à hauteur d'un McDonald's, Tante Thelma, subitement, tourna en direction du parc de stationnement. «Arrêtons-nous ici une minute», dit-elle.

A l'intérieur, l'air frais me fit trembler après la chaleur de la voiture. Tante Thelma prit la queue derrière deux adolescentes. «C'est l'heure de dîner», me dit-elle. «Est-ce que tu as faim?»

«Pas beaucoup.» Essayant de me mettre en appétit, je lus les noms familiers sur la grande carte jaune posée sur le comptoir. Quatre-quarts, Big Mac, poulet Mac Nuggets, hamburgers, cheeseburger - vous pouviez manger les mêmes choses en Floride, au Maryland, en Californie, et partout ailleurs. A ce moment précis, par exemple, Liz était peut-être en train de commander un Big Mac avec des frites à Hollywood, et ils avaient la même odeur, le même goût, exactement, que ce que je commandais ici même. La seule différence était que Liz les aurait mangés pour le déjeuner au lieu du dîner.

«Est-ce que tu veux un cheeseburger?» La voix de Tante Thelma brisa mon rêve. «Je suppose que tu n'as rien mangé depuis ton petit déjeuner.»

La fille qui était derrière le tiroir-caisse leva les yeux vers nous. «Est-ce que je peux vous servir?»

Ayant commandé des cheeseburgers, des frites et des sodas, Tante Thelma porta notre plateau jusqu'à une petite loge, toute en plastique brillant, près d'une fenêtre.

«Belle vue», dit-elle, désignant, au-delà du parc de stationnement et de l'autoroute, les montagnes. «Certains étés, Dan et moi avons loué une petite maison près du lac Deep Creek. C'est loin d'ici, mais peut-être qu'en juillet prochain nous pourrions monter jusque-là. Je parie que tu n'es jamais allée à la montagne.»

Elle s'assit lourdement et but une grande gorgée de soda. L'éraflure de son bras avait cessé de saigner, mais des petits bouts de saletés y restaient accrochés. «Maintenant, Tallahassee.» Elle poussa mon cheeseburger devant moi. «Mange.»

Pour éviter de regarder la blessure au bras de Tante Thelma, je me mis à observer les gens qui faisaient la queue devant le comptoir, et à me rappeler le plaisir que nous trouvions, Liz et moi, à essayer de deviner ce que chaque personne commanderait. «Voici venir un Big Mac avec une double ration de frites», disait-elle lorsqu'une grosse dame approchait de la caisse. «Et un petit soda sans sucre», ajoutais-je. Puis nous éclations de rire, et encore plus si la dame commandait ce que nous avions prévu. C'était drôle de voir comme nous nous trompions rarement.

Remuant la glace avec la paille dans mon verre, je me demandai si Liz et moi serions jamais à nouveau ensemble pour rire de cette façon.

«Tallahassee», dit Tante Thelma, «je crois que nous devons parler de deux ou trois choses.»

Je lui jetai un coup d'œil nerveux, puis regardai par la fenêtre, pas bien sûre de ce qu'elle allait dire ensuite. Juste sous mon nez, une voiture reculait pour quitter le parking. Un homme et une femme étaient assis sur les sièges avant, et trois gosses et un chien étaient à l'arrière. Ils me rappelèrent les familles heureuses que l'on voit dans les publicités. Blonds, bronzés, souriants. Personne de triste ou de furieux. Personne prêt à se battre. Ils rentraient probablement chez eux, dans leur petite maison aux volets verts, avec une clôture en bois tout autour.

Comme ils s'engageaient sur l'autoroute, j'émis le souhait que tous les enfants aient la chance de vivre de cette façon. Pas de divorce, pas de père tué au Vietnam, pas de mère en fuite pour Hollywood. Est-ce que le gouvernement ne pouvait pas promulguer une sorte de loi pour protéger les enfants de toutes ces choses horribles ?

Quand la voiture fut hors de vue, je tournai les yeux vers Tante Thelma. Elle me regardait fixement, attendant que je parle. Avait-elle dit quelque chose que je n'aie pas entendu ?

« Croyais-tu vraiment que Dan et moi ne voulions pas de toi ? » demanda-t-elle.

« Tu as dit hier soir que plus vite je serais en Californie, mieux ça vaudrait. » Je tripotai mon cheeseburger, enlevai la tranche d'oignon qu'ils cachaient toujours sous le pain, mais je n'avais toujours pas envie de manger quoi que ce soit.

« Je ne le pensais pas, Tallahassee », dit Tante Thelma. « J'étais si contrariée pour Fritzi, je ne savais pas ce que je disais. »

« Je ne voulais pas lui faire de mal, Tante Thelma, vraiment pas. » Des larmes me montaient aux yeux.

«Je suis si désolée, je voudrais tellement ne pas l'avoir mis dans cette stupide poussette de poupée.»

«Je sais, Tallahassee, je sais», dit doucement Tante Thelma. «J'ai eu tout le temps d'y réfléchir pendant que je faisais le voyage jusqu'ici, et j'ai réalisé que Jane et toi ne vouliez pas lui faire de mal. Seulement c'est un vieux chien, et je pensais que vous l'auriez traité plus gentiment.»

Sa voix tremblait légèrement, et je me souvins de ce qu'Oncle Dan avait dit à propos de Fritzi, qu'il était comme un enfant pour elle. «J'aime les animaux», lui dis-je, «particulièrement les chiens. Et ils m'aiment aussi, en général. Le chien de Madame Russell est fou de moi, et celui de Roger l'était aussi. Mais Fritzi et moi, nous devons avoir des personnalités contraires ou quelque chose.»

Tante Thelma soupira. «Oui, c'est vrai qu'il est un peu ronchon parfois. Mais ce n'est pas un mauvais chien, Tallahassee.»

Je n'étais pas sûre qu'elle eût raison sur ce point, mais je n'avais pas envie d'en discuter avec elle. Au lieu de cela je dis: «Je suis vraiment désolée que Fritzi ait été blessé, et j'essaierai d'être plus gentille avec lui.»

Du coin de l'œil, je vis la main de Tante Thelma

avancer lentement sur la table en ma direction. Au moment où elle allait presque me toucher les doigts, elle s'arrêta. «Tallahassee, je sais que je n'ai pas fait tout ce que j'aurais pu pour bien t'accueillir», dit-elle. «C'est que je n'ai pas l'habitude des enfants. Je ne sais pas comment leur parler. Et Dan et toi sembliez vous entendre si bien, je pensais qu'il pouvait s'occuper de toi.»

«Oncle Dan est formidable, et je ne voulais pas lui faire de la peine en m'enfuyant», dis-je. «Je l'aime beaucoup. Mais j'aime Liz encore plus, voilà tout.»

Tante Thelma approuva de la tête. «C'est qu'elle est ta mère.» Elle toucha mon poignet doucement avec un doigt, qu'elle ramena de son côté avec la vitesse d'un crabe retournant précipitamment dans son trou d'eau salée.

«Je sais que tu penses que j'ai été méchante», continua Tante Thelma. «Mais je ne voulais pas que tu t'enfuies sans réfléchir, de la même façon que Liz.» Elle s'arrêta et ajouta avec douceur: «Peut-être ai-je été trop dure avec toi.»

Elle me regardait fixement, de l'autre côté de la table. Ses sourcils étaient froncés et ses cheveux frisés par la chaleur. Des traces de mascara restaient visibles sur ses joues. «Je regrette que ta mère et moi ne nous soyons pas mieux entendues», dit-elle.

«Si seulement tu voulais bien arrêter de dire des choses horribles sur Liz…» Je me penchai vers elle, avec le désir de me faire comprendre. «Elle n'est pas comme Madame De Flores, mais c'est quand même une bonne mère. Et elle ne s'est pas enfuie en me laissant, je sais qu'elle n'a pas fait ça! Elle m'aime trop pour me faire une chose pareille!»

«Je suis désolée d'avoir dit ça», dit Tante Thelma. «Je n'aurais pas dû parler de cette façon.»

Elle porta à sa bouche le dernier morceau de son cheeseburger et le mâcha lentement. «Tu ne vas manger ton sandwich?» demanda-t-elle.

Je le considérai et secouai la tête. «Je ne peux pas.»

Un instant, je crus vraiment que Tante Thelma allait se fâcher. Elle déteste tant voir des choses gâchées, surtout si elle les a payées. Mais, au lieu de cela, elle détourna son attention vers l'éraflure de son bras. «Mon Dieu», dit-elle, comme si elle la remarquait pour la première fois. «Je ferais mieux de nettoyer ça.»

«Veux-tu que je t'aide?» Je me dégageai de mon siège tandis qu'elle se dirigeait vers les toilettes.

«Prends le plateau, Tallahassee. Je peux me débrouiller seule.»

Je vidai nos restes dans la poubelle. Puis j'arrachai, à pleines mains, des serviettes en papier d'un distributeur, avant de suivre ma tante dans la salle de repos. Je la trouvai qui essayait de nettoyer son bras avec du papier toilette humide. «Voilà», dis-je, «je peux atteindre cette blessure plus facilement que toi.»

J'humidifiai les serviettes, et elle me laissa tamponner doucement son bras, pour enlever la saleté et le sang. Puis elle fouilla dans son sac, et y trouva un petit pansement qu'elle me laissa lui mettre.

Comme nous quittions les toilettes, Tante Thelma regarda sa montre. «Il est sept heures passées», dit-elle. «Nous ferions mieux de rentrer à la maison. Dan doit se faire du mauvais sang.»

Le soir, Oncle Dan et moi nous installâmes sur le porche de devant, sur des chaises de jardin en fer. Tout ce qui restait du jour, c'était une petite bande de rose juste au-dessus du toit des maisons et la fraîcheur de l'air sur mes bras nus. Tante Thelma s'affairait dans la cuisine, tout en écoutant ses vieux airs favoris à la radio. Nous pouvions l'entendre chanter avec Julie Andrews. «Les collines sont vivantes», roucoulait-elle, «elles sont pleines de musique», et un oiseau moqueur, caché dans le feuillage sombre du cerisier, se joignait à elle.

«Eh bien, Tallahassee», dit finalement Oncle Dan, «ta tante me dit que vous vous êtes expliquées à Hagerstown. Elle espère que les choses vont aller mieux maintenant. Qu'en penses-tu?»

«Elle a été gentille», dis-je, «mais je continue à regretter un peu de n'être pas allée jusqu'en Californie. Liz me manque vraiment.»

Il toussa et tira un coup sur sa cigarette. «Ce n'est pas si mal ici, non?»

Je me remuai sur ma chaise pour essayer de trouver une position plus confortable, mais le métal froid m'en empêchait. «Liz a besoin de moi», lui dis-je. «Je le sais.»

«Et tu as besoin d'elle», dit-il doucement.

«L'officier Milbourne pensait que peut-être vous me laisseriez l'appeler.»

Oncle Dan toussa à nouveau et tira longuement sur sa cigarette avant de l'envoyer loin devant lui. Nous la regardâmes tous deux voler dans l'obscurité comme une minuscule étoile filante.

«Alors?» Je me penchai vers lui. «Est-ce que je peux?»

Oncle Dan alluma lentement une autre cigarette,

et je sentis ma gorge se serrer. «Qu'est-ce qui ne va pas?» Je m'accrochai aux accoudoirs de la chaise et me penchai vers l'avant, en le regardant fixement.

«Tallahassee, chérie, j'ai essayé de l'appeler cet après-midi. Je pensais qu'elle aurait voulu savoir que tu étais partie, surtout si c'était pour aller en Californie.»

«Alors, qu'est-ce qu'elle a dit? Elle est en colère contre moi?»

Il secoua la tête. «Elle n'était pas là, Talley. La fille au bout du fil a dit que Liz avait quitté *La Grosse Carotte* il y a deux jours. Elle n'a dit à personne où elle allait. Simplement, elle ne s'est pas présentée à son travail.»

Je le fixai des yeux, sentant mon estomac se nouer complètement. «Ils ne savent pas où elle est?»

«Non.»

«Mais si quelque chose lui est arrivé?» Je repensai à l'affiche des enfants disparus. Est-ce qu'il y en avait une pour les adultes aussi?

«Oh, je ne me fais pas de souci pour ça», dit-il. «Crois-le si tu veux, Talley, Liz peut se débrouiller seule. Je suppose qu'elle a trouvé un meilleur emploi. Nous aurons sûrement des nouvelles dès qu'elle sera fixée.»

Il posa sa main sur la mienne. Comme celle de l'officier Milbourne, elle était grande et chaude. «Je ne voulais pas te le dire», dit-il. «Je savais que tu serais inquiète.»

Là-bas dans la cuisine, Tante Thelma chantait, «Quand la lune vous saute aux yeux comme une grosse pizza pour deux», et je restai là, à l'écouter, à essayer de comprendre ce qu'Oncle Dan venait de dire. Si Liz ne m'appelait pas ou ne m'écrivait pas, comment ferais-je pour la trouver? Sans le vouloir, je me souvins de Roger qui nous emmenait à la plage, Liz et moi, dans son vieux camion. J'étais toujours à l'arrière, avec Sandy; Liz et Roger étaient devant, et ils chantaient des vieilles chansons de Bob Dylan en riant. Roger ne se doutait vraiment pas que Liz, un jour, ferait ses paquets et irait voir ailleurs, sans même lui dire au revoir. M'avait-elle fait la même chose qu'à Roger, à Johnny et à Oncle Dan?

Sans rien dire, je sautai de ma chaise, la faisant dégringoler par terre, et courus dans la maison. Je ne répondis même pas à Oncle Dan quand il m'appela. J'allai directement à ma chambre et claquai la porte.

Seule dans l'obscurité, je vis les chevaux de Liz sauter par-dessus le ravin que représentait la porte.

«Quelle sorte de mère es-tu?» hurlai-je aux dessins. «Comment as-tu pu me faire ça?»

Furieuse, j'arrachai les chevaux du mur, les mis en morceaux, et les foulai au pied jusqu'à ce qu'il n'en restât plus rien que des lambeaux de papier froissé.

Quand les murs furent complètement nus, j'attrapai Mélanie dans mon sac à dos et me laissai tomber sur le lit. J'étais tellement en colère que je ne pleurais même pas. «Je déteste Liz», murmurai-je à Mélanie. «Je la déteste et je ne veux plus jamais la voir!»

CHAPITRE 21

Le matin suivant, Tante Thelma vint me réveiller. « C'est l'heure de se préparer pour l'école », dit-elle, comme si rien ne s'était passé. « Je t'ai laissée dormir tard, il faut que je parte tout de suite au travail. » Elle avait un petit sourire nerveux. « Quand tu reviendras de l'école, ouvre le four et regarde dans la cocotte. J'y ai mis de la sauce pour les spaghettis et il faudra la tourner. »

Je restai au lit une minute encore à regarder les carrés sombres sur le papier peint, où avaient été accrochés les chevaux de Liz. Tante Thelma ne semblait pas les avoir remarqués ni le papier déchiré partout sur le sol. Tandis que sa voiture faisait marche arrière dans l'allée, je me levai et m'étirai. « Eh bien, Mélanie », dis-je, « nous voilà de retour à cette vieille Pinkney Magruder, après tout ça. Je pense que nous ne verrons jamais la Californie, maintenant. »

La pauvre Mélanie, déshabillée, avec seulement

ses sous-vêtements, ses socquettes et ses chaussures, se mit à sourire bravement. «J'avais assez peur dans ce grand autocar, de toute façon», dit-elle.

Je la serrai dans mes bras, et descendis me préparer un petit déjeuner. Avant que j'aie fini de manger mes céréales, Jane frappait à la porte de derrière.

«Talley», cria-t-elle, «ma mère m'a raconté ce qui s'est passé!»

Je regardai fixement Jane, la cuillère à mi-chemin de ma bouche. «Comment a-t-elle pu savoir?»

«Avant d'appeler la police, ta tante a appelé Maman pour voir si tu étais chez nous.» Jane s'assit en face de moi et attrapa un demi-toast. «Je peux prendre ça?»

Je hochai la tête et elle l'avala, confiture de fraises et tout le reste. «Je suis contente que tu sois revenue», dit-elle, la bouche pleine, «parce que tu m'aurais sacrément manqué, mais je suis désolée pour toi que tu n'aies pas pu voir ta mère. Je pensais à toi, voguant sur les vagues avec ta planche de surf et marchant le long de la plage, avec Liz, ou même faisant ton numéro de claquettes.»

Avec ma cuillère je tripotai les céréales, ramollies et douces, qui nageaient dans le lait. «Ça n'aurait pas été ça, Jane», dis-je. «Ça n'aurait pas été ça du tout.»

«Qu'est-ce que tu veux dire?» Jane lécha la confiture sur un de ses doigts et me regarda avec de grands yeux, intriguée.

«Liz n'aurait pas été là», lui dis-je. «Elle a quitté son travail à *La Grosse Carotte,* et personne ne sait même où elle est.»

Jane ravala sa salive. «Est-ce que tu vas prévenir la police et la signaler comme personne disparue?»

Je secouai la tête. «Oncle Dan pense qu'elle a probablement trouvé un meilleur emploi. Il pense qu'elle va nous appeler pour nous le dire.» Je jetai à la poubelle ce qui restait de mes céréales.

«Tu sais quoi?» Je lançai à Jane un regard plein de colère. «Ça m'est égal, maintenant! Je commence à croire que Tante Thelma avait raison. Regarde la façon dont elle a traité Johnny et Roger. Et maintenant moi, sa propre fille!»

«Oh, Talley.» Jane posa son menton sur ses mains ouvertes et ne dit plus rien tandis que je donnais un os pour chiot à Fritzi et caressais sa petite tête dure. Elle avait l'air si triste qu'on eût cru que sa mère était portée disparue elle aussi.

«Nous ferions mieux d'y aller», dis-je. «Il est neuf heures moins dix.»

Sur le chemin de l'école, je dis à Jane que la compagnie d'autocars Greyhound allait nous rembourser, mais même l'idée de récupérer son argent ne lui remonta pas le moral. Elle traînait la jambe à mes côtés, tête baissée, tapant dans les cailloux.

Lorsque nous atteignîmes le terrain de jeux, pourtant, Jane se tourna vers moi, souriante. «J'ai tout compris», dit-elle. «Liz vient te chercher! Elle veut te faire une surprise!»

Je la fixai des yeux avec étonnement. Je n'y avais même pas pensé. «Tu crois vraiment?»

«Bien sûr! Si ça se trouve, elle sera en train de t'attendre lorsque tu rentreras chez toi cet **après**-midi même!» Jane frappa des mains et se mit à **rire**. «Oh, Talley, ce ne serait pas génial?»

Toute la journée, à l'école, je pensai à la théorie de Jane. Madame Duffy dut me rappeler deux fois à l'ordre, en mathématiques, pour capter mon attention, mais même alors je n'ai pas su répondre. Quand la sonnerie retentit, je n'avais toujours pas réussi à me convaincre que Liz était de retour au Maryland. Malgré tout ce que Jane pouvait penser, j'avais le sentiment que Liz était partie pour toujours.

Le samedi, Jane eut son rendez-vous habituel avec l'orthodontiste. Bien que je ne fusse pas sûre que Madame Russell voulût me revoir, je partis à vélo vers l'avenue 41, espérant que Bo serait dans le jardin. Il m'aimait toujours, de cela j'étais sûre.

Comme j'arrivais en pédalant devant sa maison, je vis Madame Russell qui s'occupait de son jardin. Elle portait un chapeau de paille rond et un tablier sur sa robe. A la main elle tenait un gros arrosoir en fer, tel le fermier Mac Gregor.

Si elle ne me vit pas, il n'en fut pas de même pour Bo. Il se précipita vers la clôture, en aboyant et en remuant la queue, et je m'arrêtai pour lui faire des caresses. Tandis que j'avais la tête penchée au-dessus de la sienne, je vis les tennis de Madame Russell marcher à grands pas sur l'herbe en ma direction.

«Tu viens promener Bo, Tallahassee?» demanda-t-elle.

Sans lever les yeux, je fis oui de la tête. «Si vous voulez toujours de moi.»

«Pourquoi ne te voudrais-je pas?»

Sa voix n'était pas plus froide que d'habitude, je levai les yeux vers elle. Elle était là, une truelle dans une main, l'arrosoir dans l'autre, les yeux baissés vers moi. Un léger froncement de sourcils creusait son front.

«Je pensais que vous m'en vouliez peut-être.» Je m'occupai à nouveau de Bo, qui essayait de me lécher le nez.

« A cause de la semaine dernière ? » Madame Russell me toucha légèrement les cheveux. « Je crois que c'est moi qui te dois des excuses, Tallahassee, mais nous reparlerons de tout ça plus tard. Emmène d'abord Bo en promenade. Il a bien besoin de courir, ma chère. »

Je sautai par-dessus la clôture et la suivis dans sa maison, le cœur battant. J'étais si heureuse que c'était comme si je faisais la roue sur la pelouse. Elle ne m'en voulait pas, elle ne m'en voulait pas !

Ayant accroché la laisse au collier de Bo, je lui fis descendre le chemin et remonter la colline pour aller jusqu'au parc. Nous passâmes un moment merveilleux, mais je le ramenai à la maison plus couvert de boue encore que le samedi précédent. Il était tellement sale que Madame Russell et moi dûmes lui nettoyer les pattes avec le tuyau d'arrosage avant qu'il n'entre dans la maison.

« Nous prendrons de la limonade sur le porche ombragé », dit Madame Russell en me conduisant vers une porte de côté. Nous nous assîmes à une petite table couverte d'une nappe à carreaux, et elle nous versa, d'un pichet, un grand verre de limonade à chacune.

M'ayant passé un plat de petits gâteaux au chocolat, Madame Russell ouvrit un album et me montra la photo d'un garçon aux cheveux roux, avec des taches de rousseur et des grandes dents.

«J'ai beaucoup réfléchi, Tallahassee», dit-elle. «Voici Johnny à ton âge. Comme tu peux le voir, tu lui ressembles beaucoup.» Elle s'arrêta un petit moment. «Cela pourrait être une pure coïncidence, bien sûr. Mais je pense, compte tenu des faits que nous connaissons, qu'il pourrait bien être ton père.»

Je regardai Madame Russell, osant à peine respirer. «Vous seriez donc ma grand-mère», murmurai-je.

Elle sourit et hocha la tête. «Mais nous n'en serons jamais tout à fait sûres. Tant que Liz ne nous l'aura pas dit.»

Elle but une gorgée de sa limonade. «Tu vois, je ne savais pas que Liz avait eu un enfant. Tu as été une surprise totale pour moi.» Elle regarda au-delà de moi, vers le jardin ensoleillé. «Je suis sûre que Johnny ne l'a jamais su non plus.»

«Vous êtes sûre qu'il est mort?» Je tournai les pages de l'album et revins aux photos de Johnny bébé, puis retournai à la dernière, prise lorsqu'il était soldat, ses cheveux roux coupés si court qu'on l'eût cru chauve. «Il ne peut pas être prisonnier là-bas quelque part?»

«Johnny a été tué à la fin de la guerre», dit Madame Russell. «Son hélicoptère s'est écrasé. Il est enterré ici, à Hyattsdale, dans le cimetière de Saint Phillipe. Peut-être toi et moi pourrons-nous, un jour, nous rendre sur sa tombe, Tallahassee. J'apporte souvent des fleurs du jardin, celles qu'il préférait. Des soucis, des zinnias.» Sa voix se perdit dans le lointain, et nous restâmes silencieuses, écoutant seulement les criailleries d'un geai bleu sur le cornouiller de la cour arrière.

Je retournai à l'album, étudiant chaque page du début à la fin, observant Johnny grandir, du bébé à l'homme. Il semblait si heureux sur toutes les photos, riant et souriant, faisant le clown. Ce n'était pas juste qu'il fût parti à la guerre et mort si loin d'ici.

«Il doit beaucoup vous manquer.» Je sentais une grosse larme qui me montait à l'œil, et qui vint s'écraser sur la nappe.

«Oui», dit-elle. «C'était une guerre horrible. Mon mari et moi y étions tout à fait opposés, mais quand Johnny a été appelé, il a dit qu'il devait y aller.» Elle s'arrêta et regarda intensément la photo de Johnny dans son uniforme.

«Il n'avait jamais peur de rien», dit-elle doucement. «Il nous a dit de ne pas nous inquiéter, qu'il serait de retour dans peu de temps.»

Je sautai sur mes pieds et m'élançai vers elle. L'entourant de mes bras, je la serrai très fort. «Mais je suis là, maintenant», chuchotai-je. «Et je vous tiendrai compagnie. Moi et Bo.»

Madame Russell me serra plus fort dans ses bras. «Je crois que je serai heureuse d'avoir une petite-fille, Tallahassee Higgins», chuchota-t-elle.

Comme nous lavions nos verres, Madame Russell dit: «Liz doit te manquer.»

«Pas autant qu'avant.» J'essuyai très fort mon verre avec le torchon, jusqu'à ce qu'il brille. «Je n'ai pas eu de ses nouvelles depuis si longtemps. En ce moment, je ne sais même pas où elle se trouve, Madame Russell. Ni si elle reviendra jamais. Parfois j'ai peur que quelque chose d'horrible lui soit arrivé, d'autres fois je suis tellement en colère contre elle que cela m'est égal.»

Je clignai des yeux pour m'empêcher de pleurer. «Je ne sais pas ce qui m'arrive.»

Madame Russell poussa un soupir et secoua la tête. «Il est très difficile de comprendre quelqu'un comme Liz. C'est une personnalité complexe, Tallahassee. Par exemple, je n'ai jamais compris pourquoi elle avait laissé tomber Johnny. Il était fou d'elle, et ça lui a brisé le cœur lorsqu'elle est partie.»

Elle s'arrêta pour laisser l'eau s'écouler de l'évier. On l'entendit glouglouter dans le tuyau. Madame Russell alors se tourna vers moi. «Tu sais comme la lumière du soleil peut jaillir de quelque chose de brillant, et former un petit cercle lumineux, qui saute sur le mur en tous sens?»

«Comme ceci?» Je dirigeai ma cuiller vers un carré de lumière sur le comptoir et renvoyai son reflet vers le plafond où il se mit à danser.

«Bien, tu sais que tu ne peux pas l'attraper», dit-elle. «Tu n'as aucune prise sur lui, aussi joli soit-il.»

J'essayai de recouvrir de ma main le cercle de lumière, mais, bien sûr, à l'instant même où je bougeai la cuiller, le cercle fit un bond.

«Voilà comme est Liz», dit Madame Russell. «On ne peut pas l'attraper, on ne peut pas l'épingler. Tout ce qu'on peut faire, c'est la regarder partir en dansant, et espérer qu'elle reviendra danser ici.»

J'éloignai la cuiller de la source de lumière. «Mais que va-t-il m'arriver si elle ne revient pas?»

«Tu vas rester ici, tout simplement, avec ton oncle et ta tante», dit Madame Russell. «Et tu viendras me voir aussi souvent que tu voudras et tu feras faire à Bo de longues et merveilleuses balades dans le parc.»

Elle m'entoura à nouveau de ses bras et me serra si fort que j'en perdis presque le souffle. Au même moment, Bo me sauta dessus pour me lécher le nez. A cet instant, Hyattsdale ne me parut pas un endroit si affreux, tout compte fait.

CHAPITRE 22

Une chaude journée de début juin, je revenais en flânant de l'école. C'était un mercredi, un jour où Jane prenait des leçons de piano; j'étais toute seule et repensais à ce que Madame Duffy m'avait dit. J'allais passer en cinquième, avait-elle déclaré, mais certainement pas avec les honneurs. J'étais toujours très faible en maths, mais du moins avais-je fait mon travail à la maison et rédigé un bon dossier sur l'histoire du Maryland.

«Si seulement tu étais attentive en classe», avait dit Madame Duffy au moment où je partais. «Ce matin, par exemple, j'ai dû te rappeler à l'ordre trois fois pendant le cours de sciences sociales. Quand enfin tu m'as prêté attention, tu ne savais même pas à quelle page nous en étions.»

Je ne l'avais pas dit à Madame Duffy, mais les importations et exportations de l'Amérique du Sud ne m'intéressaient pas du tout. Plutôt que d'étudier la carte de la Bolivie dans notre livre, j'avais imaginé que j'emmenais Bo au parc. J'avais trouvé une jolie clairière dans les bois, où je pouvais lui enlever sa laisse et lui lancer des bâtons. Et tandis que Bo s'ébrouait, je m'imaginais que nous étions dans notre forêt enchantée à nous, un endroit où tout pouvait arriver.

Dans mon rêve favori, je retrouvais là Johnny, pas mort finalement. Il me disait que tout cela avait été une grande erreur, que c'était le corps de quelqu'un d'autre qui était enterré sous la pierre brillante et rose du cimetière de Saint Philippe. Puis il faisait une pirouette arrière et marchait sur les mains dans la clairière, ses longs cheveux roux brillant à la lumière du soleil, tandis que derrière lui je faisais la roue.

A ce moment-là, Liz apparaissait. Tous les deux se jetaient dans les bras l'un de l'autre comme dans un film publicitaire pour parfum. Puis tous les trois nous marchions, main dans la main (moi au milieu), vers la maison de Madame Russell, avec Bo qui nous montrait le chemin. C'était la meilleure partie : imaginer l'expression de Madame Russell lorsqu'elle verrait Johnny.

Bien sûr, je savais bien que Johnny ne reviendrait jamais. Je ne l'avais jamais vu ou entendu rire, et nous ne ferions jamais de gymnastique ensemble. Il était parti au Vietnam avant même ma naissance, et on n'y pouvait absolument rien. Mais c'était tout de même plus amusant de penser aux forêts enchantées que de se rappeler les importations et exportations de la Bolivie.

Comme j'arrivais au tournant de la rue Oglethorpe, perdue dans mes pensées, je remarquai quelqu'un assis sur les marches devant la maison d'Oncle Dan. Bien que sa tête ne fût pas tournée de mon côté, je reconnus tout de suite qui c'était.

Quelques secondes, je restai immobile, mon cœur battant très fort comme si je venais de courir plus d'un kilomètre. J'avais imaginé ce moment si souvent que je n'étais pas tout à fait sûre qu'elle était vraiment là, et je voulais regarder, regarder, regarder, juste pour le cas où elle s'évanouirait au moment précis où quelqu'un interromprait mon rêve éveillé. Puis elle tourna la tête et me vit.

«Liz!» criai-je, «Liz!»

«Tallahassee!» Liz bondit sur ses pieds et courut à ma rencontre.

Puis nous fûmes dans les bras l'une de l'autre et je ne saurais pas dire le début ni la fin de tout cela. «Liz! Liz!» Je me réfugiai contre elle. «Je pensais que tu n'allais jamais revenir! J'avais peur que tu sois partie pour toujours!»

«Tu sais bien que je ne te quitterai jamais!» Se reculant, elle m'examina. «Hé, si on faisait un grand sourire!»

J'essayai, mais ma bouche était toute tremblante. «Est-ce que tu vas rester?» Je m'accrochai à elle, ma mère, ma Liz, la plus belle des mères au monde.

«Tu as l'air en forme, chérie. Thelma te fait manger des tablettes de croissance, on dirait.» Elle essayait de me tenir à distance pour mieux me voir. «Est-ce qu'elle est gentille avec toi?»

«Pas au début, mais ça va, maintenant, dans l'ensemble.»

«Et Dan? Je suis certaine qu'il est fou de toi.»

« Il est formidable, Liz. Il a réparé ta vieille bicyclette pour moi. Il l'a même peinte, si bien qu'elle a l'air presque neuve.»

«Cette vieille bécane? Elle n'avait même pas de freins.» Liz se mit à rire.

«Elle marche vraiment bien, Liz. Tu veux voir?»

«Non, non.» Elle se rassit en continuant de rire, rejetant ses cheveux sur les épaules. «Je suis venue pour te voir, pas pour voir un vieux vélo.»

Je me pelotonnai contre elle, mais elle s'écarta de

moi légèrement. «Qu'est-ce que tu essayes de faire, Talley? Tu veux venir sur mes genoux?»

Je rougis et la laissai mettre de la distance entre nous. J'avais oublié ce qu'elle pensait des embrassades et des baisers trop nombreux. «Où étais-tu tout ce temps?» Je la regardai avec de grands yeux. «Pourquoi est-ce que tu ne m'as pas écrit ou téléphoné? Je me suis fait tellement de souci pour toi!»

«Oh, je n'étais pas bien du tout, tu comprends, Talley?» Elle me sourit comme un petit enfant attendant qu'on lui pardonne. «Tu dois penser que je suis la pire de toutes les mère.» Je secouai la tête si vigoureusement que mes cheveux volèrent dans toutes les directions. «Bien sûr que je ne pense pas ça! Tu es la meilleure mère, vraiment la meilleure mère du monde entier.»

Liz releva la tête en riant. «Tu es un ange, ma chérie.» Elle jeta un coup d'œil à la maison par-dessus son épaule. «Je suis assise là depuis presque une heure et je n'arrête pas d'entendre cet imbécile de chien. Est-ce qu'il fait toujours ça? Ou est-ce que c'est seulement pour moi, parce que je lui déplais?»

Je regardai Fritzi qui faisait des bonds derrière la fenêtre. C'était étonnant qu'il n'eût pas encore de laryngite. «Il s'excite facilement. Tante Thelma dit que tous les petits chiens sont plus ou moins nerveux. C'est pour ça qu'ils aboient tellement.»

«Je parie que Thelma le dresse à être odieux. C'est bien le genre de chose dont elle est capable», dit Liz. «Ce chien lui ressemble, même.»

«Il n'est pas si méchant une fois qu'on le connaît. Avant, il aboyait et grondait chaque fois que je l'approchais, mais maintenant il m'aime bien. Il n'est mauvais que quand je viens trop près de son écuelle. Il ne veut personne près de lui quand il mange.»

Liz alluma une cigarette et expira lentement la fumée.

«Je ne me suis jamais intéressée aux petits chiens», dit-elle.

Je secouai la main pour éloigner la fumée de mon visage. «Tu n'as pas encore arrêté de fumer? Tu sais que c'est mauvais pour toi.» J'agrippai son avant-bras. «Et regarde comme tu es maigre. Je parie que tu n'as pas mangé comme il faut.»

«Qui est la mère, toi ou moi?» Liz dégagea son bras en riant.

«Où est Bob?» Je jetai un coup d'œil vers la rue vide, pensant y voir peut-être sa moto.

Liz haussa les épaules. «Oh, on s'est séparés, en Californie. Pour autant que je sache, il continue de s'accrocher à ses imbéciles de copains. Je me suis vraiment trompée sur lui, Tallahassee.»

Elle fit tomber la cendre de sa cigarette et inspecta du regard les environs. «Absolument rien n'a changé ici, tu sais ça? Je suis partie douze ans, et **tout** est exactement comme avant.»

Je regardai la rue, adoucie à présent par le feuillage vert. Depuis que j'étais assise là, à côté de Liz, je ne pensais qu'à lui poser des questions sur Johnny, mais je n'avais pas le courage de mentionner son nom. C'était pourtant elle qui pouvait me dire ce que je voulais savoir. Et si sa réponse n'était pas celle que je voulais entendre?

Je regardai Liz tirer sur sa cigarette et décidai de lui demander si elle se souvenait de la mère de Jane. Ensuite, peut-être aurais-je le courage de mentionner Johnny. «Est-ce que tu te souviens de Linda De Flores?» demandai-je timidement. «Elle habite toujours dans la maison derrière la nôtre.»

Liz parut troublée. «Tu veux dire Linda Barnes?»

«Son nom c'est De Flores, maintenant.» Je fronçai les sourcils. «Elle a dit qu'elle te connaissait.»

«Linda s'est mariée avec Bud De Flores? Avec moi hors du décor, je pensais qu'elle se serait mariée avec ce bon vieux Johnny Russell», dit Liz.

«Johnny Russell?» Je regardai Liz avec de grands yeux.

«Ne me dis pas que tu le connais lui aussi.» Elle secoua la tête. «Seigneur, personne n'est parti d'ici?»

Juste à côté, Monsieur Jenkins mit en marche sa tondeuse à gazon. Le bruit me cognait dans la tête, et je n'arrivais pas à penser correctement. «Johnny est mort», dis-je de but en blanc, et je sentis mes yeux se remplir de larmes. «Il a été tué au Vietnam. Tu ne le savais pas?»

Liz s'étrangla avec la fumée de sa cigarette et se tourna vers moi, les yeux écarquillés. «Oh! Mon Dieu…» murmura-t-elle. «Oh! Mon Dieu! non, Tallahassee.» Serrant ses bras autour d'elle, elle se pencha en avant, ses cheveux lui cachaient le visage. «Personne ne me l'a dit», murmura-t-elle. «Personne ne me l'a dit.»

La tête sur les genoux, elle se mit à pleurer, secouant les épaules. Timidement, je lui caressai le dos et lissai ses cheveux, mais elle me repoussa, comme si j'étais un moustique ou quelque chose comme ça. Je savais qu'aucune de mes recettes, même la danse de Fred et Ginger, ne réussirait à l'empêcher de pleurer.

«Je lui avais dit de brûler son avis d'incorporation», dit-elle, «ou d'aller au Canada! Pourquoi est-ce qu'il ne m'a pas écoutée?»

«Madame Russell a dit qu'il voulait y aller», dis-je. «Elle a tenté de le convaincre d'aller au Canada, elle aussi, mais il n'avait peur de rien.»

Liz secoua la tête. «D'être incorporé, ça le faisait rire. Il pensait que ce serait une grande aventure. Je n'arrivais pas à croire qu'il était aussi bête!» Elle enfouit sa tête dans ses mains. «Je ne lui ai même jamais dit au revoir, il m'avait tellement contrariée.»

«Est-ce que c'est pour ça que tu es partie en Floride? Parce que Johnny partait à l'armée?»

«En partie oui. Je ne voulais pas le voir revenir d'un camp d'entraînement les cheveux coupés ras et portant l'uniforme. C'était contraire à toutes mes convictions. Johnny soldat!» Elle s'essuya les yeux avec ses poings. «Mais pourquoi est-il parti là-bas?»

«Liz», je touchai son bras nu. «Il faut que je sache quelque chose.» Ma voix tremblait et mes bras faiblissaient, mais si je ne le lui demandais pas maintenant, je ne le ferais jamais.

Elle me regarda, les yeux encore pleins de larmes. Puis elle s'absorba dans l'examen de ses doigts de pieds, s'arrêtant à l'un d'eux, dont le vernis s'écaillait.

«Est-ce que Johnny était mon père?»

Tandis que j'attendais sa réponse, Monsieur Jenkins faisait gronder son moteur, montant et descendant la bande de pelouse entre notre maison et la sienne, remplissant l'air des senteurs douces d'herbe coupée.

«Alors?» Je sentais ma voix enfler. «Alors?»

«Tu lui ressembles beaucoup», dit-elle. «Depuis toujours.»

«Mais est-ce que c'est mon père?»

«Oui», murmura Liz, «oui, et je suis désolée qu'il soit mort, Tallahassee. Il t'aurait aimée, il t'aurait vraiment aimée. Il a toujours été fou des petits enfants.»

«Pourquoi est-ce que tu ne me l'as pas dit?»

«Pour quoi faire? Je ne voulais aucun lien avec Johnny, je ne voulais pas me marier ni quoi que ce soit.» Elle s'essuya à nouveau les yeux et alluma une nouvelle cigarette. «Je voulais que tu sois toute à moi, mon tout petit bébé pour moi seule. Juste toi et moi, comme Peter Pan et Clochette, ou d'autres. Bien que ça n'eût pas changé quoi que ce soit, vu la façon dont les choses ont tourné.»

Pendant un long moment, aucune de nous deux ne dit un mot. Fritzi avait cessé d'aboyer, Monsieur Jenkins avait fini de tondre sa pelouse, et les seuls sons qu'on entendait étaient ceux des oiseaux et de la circulation lointaine et bourdonnante sur la route Un.

«Est-ce que les Russell habitent toujours là?» demanda Liz finalement. Elle avait cessé de pleurer, mais elle était pâle sous son hâle, et son maquillage avait coulé.

«Monsieur Russell est mort il y a longtemps, mais Madame Russell est très gentille. Elle me laisse jouer avec son chien. Tu sais, l'emmener en promenade et tout. Elle m'aime bien.»

«Est-ce qu'elle sait que Johnny est ton père?»

«Elle pense qu'il doit l'être. Je suis donc un peu comme sa petite-fille.»

«Je suppose qu'elle me déteste.» Liz fronça les sourcils, et je remarquai à nouveau les petites lignes sur son visage.

«Non, pas du tout», dis-je, «mais je ne crois pas que Madame De Flores t'aime beaucoup.»

«Ça ne m'étonne pas. Ce n'était pas très gentil de ma part de lui prendre Johnny, mais je n'y pouvais rien s'il me préférait.» Liz n'avait pas l'air très désolée, et un petit sourire lui plissait le coin de la bouche. «Donc elle vit toujours à Hyattsdale. Et elle s'est mariée avec ce raseur de Bud. Et aussi, je parie qu'elle a un milliard de gosses.»

«Six», dis-je. «Jane, la plus âgée, est dans ma classe, et c'est ma meilleure amie.»

Nous parlâmes un moment de l'école et de ce que je faisais, mais chaque fois que je posais des questions à Liz sur elle-même, elle s'arrangeait pour détourner la conversation vers moi à nouveau.

«Et toi et moi?» demandai-je finalement, incapable de supporter plus longtemps cette incertitude. «Qu'est-ce qu'on va faire?»

«Quand est-ce que Thelma et Dan rentrent à la maison?» Liz regarda vers le haut et le bas de la rue, comme si elle s'attendait à les voir arriver.

«Tante Thelma devrait être ici d'une minute à l'autre, mais Oncle Dan ne revient pas avant cinq heures ou cinq heures et demie. Ils vont être bien surpris de te voir.»

Liz se leva. «Ecoute, Talley, je ne veux pas les voir, ni l'un ni l'autre. Je suis passée juste pour m'assurer que tu allais bien, c'est tout.»

«Qu'est-ce que tu veux dire?» Je la regardai fixement, me préparant à de mauvaises nouvelles. «Tu ne m'emmènes pas avec toi?»

«Pas maintenant, chérie.» Elle recula quand j'essayai de m'approcher d'elle. «Je suis en route pour New York, avec un ami. Il connaît des gens dans le théâtre, et il pense que je les intéresserai. »

«Mais pourquoi est-ce que je ne peux pas venir?»

«Tu es mieux ici, du moins jusqu'à ce que je sois fixée. Tu comprends, n'est-ce pas?» Sa voix prit un ton plaintif. «New York n'est pas fait pour les enfants. Tu ne t'y plairais pas, Talley.»

Je restai très, très calme. Cela ne servirait à rien de s'accrocher à elle, de se cramponner. Cela ne ferait que la contrarier. «Tu veux dire que tu te débarrasses de moi ici? De la même façon que tu t'es débarrassée de tout le monde?»

«Qu'est-ce que tu veux dire?» Liz me fixait des yeux.

«Johnny, Roger, Bob.» Je lui lançai un regard furieux. «Tu t'es même débarrassée de notre chat Bilbo! Et maintenant tu fais la même chose avec moi, ta propre fille!»

« Ne me parle pas comme ça, Tallahassee! Je me suis occupée de toi pendant douze ans, et ne crois pas que ça a été facile! Il vient un temps où l'on doit penser à soi-même. J'ai vingt-neuf ans, et si je ne deviens pas bientôt actrice, ce sera trop tard.»

«Mais tu as dit, avant, que tu me voulais toute à toi. Tu sais, Peter Pan et Clochette. Alors, qu'en est-il?»

«Oh, chérie.» Liz me prit dans ses bras et me serra très fort. «Tu aimes bien être ici, non? Dan et Thelma s'occupent bien de toi, tu as des amis, tu as même une grand-mère.» Elle essaya de rire, mais son regard restait soucieux. «Regardons les choses en face, je ne suis pas vraiment la meilleure mère du monde.»

«Tu es la seule que j'aie.»

«Ecoute, je dois m'en aller d'ici avant que Thelma rentre. Tu veux faire la connaissance de Max? Viens.» Elle commença à marcher sur le trottoir, courant presque.

«Non!» criai-je. «Je ne veux pas faire la connaissance de Max! Je veux juste que tu restes ici!»

Elle fit un pas vers moi, hésita, fit tourner ses bras en l'air et soupira. «Je fais tout ce chemin exprès pour te voir et voilà comment tu te conduis! Je ne peux pas le croire!»

Avant qu'elle ait pu ajouter quoi que ce soit, une petite voiture de sport s'approcha du trottoir, derrière elle. Elle était décapotée, et le type qui la conduisait avait des cheveux longs malgré une calvitie rampante au sommet du crâne. «Tu es prête, chérie?»

Liz lui sourit puis se tourna vers moi. «Viens, Talley, dis-moi au revoir avec un baiser et dis salut à

Max.» Elle tendit un bras vers moi, me demandant d'approcher, m'implorant.

Je me dirigeai lentement vers elle et la laissai me présenter à Max.

«Voici Tallahassee», dit Liz. «Est-ce que ce n'est pas la plus jolie petite fille que tu aies jamais vue?»

«On dirait plutôt ta petite sœur que ta fille», dit Max, comme Liz me serrait dans ses bras.

Je lançai à Max un regard mécontent. «Elle a vingt-neuf ans», dis-je. «Et c'est ma mère.»

«Les gosses, je les adore». Max riait. «Tu es vraiment super», me dit-il.

«Maintenant sois gentille, Talley», dit Liz. «Cette fois-ci je te promets que j'écrirai plus souvent.»

Je m'accrochai à elle un instant, respirant l'odeur de tabac et de parfum. Puis elle s'éloigna et entra dans la voiture de Max. Elle agita la main et m'envoya un baiser. Max fit rugir le moteur, et la petite voiture partit à toute vitesse, les cheveux de Liz flottant en arrière. Je la regardai tourner à l'angle de la rue et entrer presque en collision avec celle de Tante Thelma.

«Est-ce que c'était Liz?» demanda-t-elle avant même d'être sortie de sa vieille Ford.

Je fis oui de la tête. «Elle ne pouvait pas rester

longtemps», murmurai-je. «Elle part pour New York.»

«Tu veux dire qu'elle est partie? Elle n'a même pas attendu pour me voir?»

Je secouai la tête et regardai fixement la colonne de fourmis qui traversait le trottoir. Ma gorge était nouée et j'avais du mal à parler.

«Je ne peux pas le croire!» Tante Thelma regardait fixement le bas de la rue du côté où la voiture était partie, comme si elle s'attendait à la voir reparaître.

Je ne dis rien, mais une grosse larme tomba sur le trottoir, comme une goutte de pluie.

«Et toi? Est-ce qu'elle a parlé de venir te chercher?»

«Peut-être à l'automne», chuchotai-je, «quand elle sera installée.»

Tante Thelma renifla. «Oui, nous avons déjà entendu ça, n'est-ce pas?»

Puis elle fit quelque chose qui me surprit vraiment. Elle étendit les bras et me tira vers elle, pressant mon visage contre sa poitrine.

«Oh, Talley, tu dois être tellement déçue», dit-elle en me caressant le dos. «Je suis désolée.»

Je me mis à pleurer alors, je ne pouvais m'en empêcher. « Elle ne veut plus de moi », dis-je à ma tante. « Je ne veux plus jamais la voir. Jamais, jamais, jamais. »

Tante Thelma me serra très fort dans ses bras et dit : « Bien sûr que tu la reverras, Tallahassee. Ne sois pas bête. »

« Non », dis-je. « Cette fois-ci, elle est partie pour toujours, je le sais. »

Tante Thelma me prit par le bras et me fit entrer dans la maison. « Cela pourrait durer un moment, Tallahassee, mais souviens-toi de ce que je te dis. Liz reviendra. »

Me faisant asseoir à la table de la cuisine, elle nous prépara à chacune un verre de thé glacé. « Maintenant, calme-toi, Tallahassee, et arrête de pleurer », dit-elle avec fermeté. « Les larmes ne feront pas revenir Liz, tu le sais. »

Je bus le thé froid à petites gorgées, mais il était difficile d'arrêter de pleurer. Après avoir attendu tout ce temps, je n'étais restée que quinze minutes avec ma mère. Même pas une demi-heure. Elle aurait pu rester au moins le temps de voir Oncle Dan, de dîner avec nous. Jane aurait pu venir et faire sa connaissance. Madame Russell aussi. Mais non, il fallait qu'elle se sauve pour aller à New York, avec un type nul qui portait une boucle d'oreille.

«Est-ce que Liz a dit ce qu'elle allait faire à New York?» demanda Tante Thelma.

«Ce drôle de type, qui conduisait la voiture, connaît des gens dans le théâtre», marmonnai-je. «Elle continue à croire qu'elle va devenir actrice, mais tu sais ce que j'en pense?»

Tante Thelma leva les yeux de son thé glacé, attendant que je poursuive.

«Je pense qu'elle sera serveuse toute sa vie et qu'elle aurait mieux fait de rester en Floride. Qu'est-ce qu'elle va faire dans une ville comme New York? Elle ne rencontrera jamais quelqu'un comme Roger dans une grande ville.»

Tante Thelma me caressa la main. «Ecoute, Talley, je vais te dire quelque chose. Je suis contente que tu restes là. Crois-le si tu veux, tu m'aurais manqué si tu étais partie pour New York, et je me serais fait tout le temps du souci pour toi. Avec tout ce qui arrive dans les grandes villes, ce ne sont pas des endroits pour les enfants.»

«Tu veux dire que je ne te pèse pas?» C'était une nouvelle pour moi. Je savais que Tante Thelma et moi nous entendions mieux, mais je n'aurais jamais imaginé que je puisse lui manquer.

Elle secoua la tête. «Pas le moins du monde.»

Puis elle se leva et se dirigea vers le réfrigérateur. «Aide-moi à préparer le dîner, maintenant», dit-elle. «Dan va bientôt rentrer, et je n'ai rien fait du tout.»

Comme je préparais les pommes de terre, Fritzi vint renifler le sol à mes pieds, espérant que quelque chose arriverait de ce côté, et Tante Thelma alluma la radio pour écouter sa station préférée. Tout en faisant griller le poulet, elle chantait «J'ai laissé mon cœur à San Francisco» avec Tony Bennett, lançant quelques fausses notes à droite, à gauche, et butant plus d'une fois sur les paroles. Dans l'arrière-cour de Jane, j'entendais Matthew, Mark et Luke qui jouaient à quelque jeu bizarre qu'ils avaient inventé, où il était question de rayons de la mort. Je savais que Madame De Flores leur crierait bientôt de venir dîner.

Peut-être qu'après le repas j'irais voir Jane et lui parlerais de la visite de Liz. Elle serait furieuse, pour commencer, puis elle inventerait je ne sais quelle explication folle pour justifier le comportement de ma mère, et je me sentirais mieux. Au moins pour quelque temps. Mais quoi que Jane pût dire, je savais désormais que Liz et moi ne pourrions plus jamais vivre ensemble comme avant. Il s'était passé trop de choses. J'avais des liens que je n'avais pas auparavant. Madame Russell, ma tante et mon oncle, Jane. Et Liz aussi, de son côté.

Profitant de ce que Tante Thelma ne me regardait pas, je tendis à Fritzi un petit bout du pain que je coupais pour le dîner. «Tiens, gourmand», chuchotai-je comme il l'attrapait. «Toi et moi, on pourrait aussi bien être copains. Apparemment, je vais rester ici encore un bon bout de temps.»